APAISE LE TEMPS

MICHEL QUINT

APAISE LE TEMPS

roman

PHÉBUS
LITTÉRATURE FRANÇAISE

ISBN : 978-2-7529-1043-1

Pour Aurélien Recoing

I

La petite librairie ne quitte l'ombre de l'hôtel de ville de Roubaix à aucun moment du jour. Et aucune saison ne fait exception. Que règne cette canicule moite du Nord, le temps frileux de brumaire ou un hiver de diamant, le soleil effleure à peine sa façade. Le printemps, l'été ne sont ici qu'une idée étrangère, une nécessité acquittée en douce par la nature, comme les demoiselles en fleur se doivent d'ôter vite fait leur maillot mouillé à la plage sous une serviette mal nouée. Si on leur aperçoit le saint-frusquin l'espace d'un éclair, c'est bien le diable.

Sur le flanc droit de l'édifice municipal blafard et arrogant, aux fastes pour remises de médailles, la rue est une tranchée semi-obscure. Elle descend, on pense être à une des portes de l'enfer, et non, elle remonte vers la large lumière des boulevards favorables aux parades patronales d'autrefois, vers les maisons des anciens maîtres du textile, à peine plus loin. Juste au creux de l'artère, de l'intérieur du magasin qu'on peut dépasser d'un seul pas allongé comme pour sauter un ruisseau, on n'a d'horizon qu'un haut mur aveugle de pierre noircie et de brique sale. Même pas de ciel. L'univers ici n'est jamais nu.

L'endroit est organisé tout en long, à la manière de

ces bars aux Amériques, si étroits qu'il faut rentrer le ventre pour se glisser dans les reins d'un client accoudé au comptoir. La caisse est juste derrière la vitrine où les épaules d'un pas mal costaud, les hanches d'une femme un peu bien féminine n'entreraient pas sans se faufiler de biais. La librairie projette sur le trottoir un bref flux lumineux, comme un petit Achéron, un fleuve des morts pour parc d'attractions. Mais peut-être nulle part ailleurs dans la ville l'espace n'est aussi brillant, éblouissant quand on sort de l'obscurité extérieure. Vivant. Des volumes brochés y tournent le dos du sol au plafond, de l'entrée à la porte qui mène à la resserre et à l'appartement du dessus, comme dans un dortoir de gamins punis pour insolence, excès d'intelligence. La seule enseigne peinte, dehors, dit « Livres » en cursives.

Du temps de Georges et Julie Lepage, un nom prédestiné, les années 60 et avant, la librairie fournissait en manuels scolaires les associations de parents d'élèves dont le siège et les entrepôts, une vaste friche industrielle, faisaient le coin de la première transversale, à gauche. Les lycéens des établissements publics venaient y récupérer contre une caution leur barda de papier, la collection annuelle, maths, français, histoire-géo et compagnie, quinze bons kilos de savoir. Des milliers de potaches, encombrés de ces bouquins qui les feraient souffrir une année entière. Les cautions étaient rarement restituées en échange des livres mutilés. Chaque année Georges et Julie profitaient ainsi d'une rentrée d'argent assurée et d'un lieu de stockage. Ce fut leur âge d'or. Jusqu'à la mort de Georges, en 62, et celle de Julie en 68. Bien après, les commandes publiques sont devenues plus rares. La librairie Lepage a perdu le marché scolaire, trop important pour elle. Aujourd'hui le local de l'association de parents est ailleurs, approvisionné par une grosse chaîne de librairies. L'ancien bâtiment a été vendu à une start-up, semble-t-il, ou une agence de communication, ou à personne, difficile de se faire une idée rien qu'à passer sous les hautes fenêtres sales.

Abdel Duponchelle n'a connu ni Georges et Julie ni les salles pleines de manuels neufs ou périmés, l'immense mouroir des livres reniés. Il a seulement fréquenté, de façon moins assidue ces derniers temps, Yvonne Lepage, la fille de « Livres » qui a aidé sa mère à tenir le commerce entre 62 et 68 et a logiquement pris la suite après sa disparition, voilà quarante-cinq ans. Elle avait vingt-sept ans et abandonnait son métier de photographe. C'est elle qui a laissé péricliter les réponses aux appels d'offre de marchés publics et privés. Au début les dossiers à remplir la rebutaient, pire que de demander l'aumône, sacrée tête de mule orgueilleuse d'Yvonne. Puis l'informatique, la nécessité de guetter l'annonce officielle du marché sur Internet, elle n'avait pas la patience. Tant pis. Yvonne a également hérité de l'officieux fonds social de son père qui partageait ses enthousiasmes de lecture avec les clients pour combattre l'analphabétisme, l'illettrisme, enchanter le monde et faciliter l'intégration des polacks, espingouins, portos, macaronis, niakoués, bicots et bougnoules, Oui monsieur faut pas avoir peur des mots, les gros faut les convoquer, les regarder en face et leur faire honte en public. Après ils maigrissent, se refont une beauté, retrouvent une dignité : le melon est un fruit. Il parlait de la sorte, Georges, disait que les guerres sont finies et que les livres sont des amis communs à tous les hommes, des lieux où faire la paix. Des lieux d'égalité possible si on sait lire. Alors tu peux revendiquer tes racines en bloc, négritude, exil, pauvreté, descendant de victimes de l'esclavage et du colonialisme, flamezoute de toute éternité, c'est pas d'affirmer ta différence qui te rendra égal, ni de prendre les armes, c'est de te donner les moyens d'être aussi fort que n'importe qui. Par la matière grise. Il prêchait, Georges. Cet engagement lui coûtait plus qu'il ne rapportait.

J'ai vu des photos : il était chauve, une gueule de pensionnaire légendaire du Français, Seigner, Charon, des poids lourds ainsi, il portait une blouse grise d'instituteur sanglée haut sur le ventre, rapport à sa vocation de hussard républicain, des lunettes bon marché sans monture, et grommelait plus ou moins fort, à la mesure de son bonheur de vivre dans sa caverne. Julie, sa femme, c'était Gabrielle Fontan, une vieille actrice musaraigne oubliée de tous, maigre à trouer ses gilets, riquiqui à se cacher entière derrière ses deux mains ouvertes, frisottée et l'œil vache, et cette voix de ragoteuse de palier, à vous râper l'âme. Plus personne ne connaît cette actrice, plus personne ne connaît personne. Chacun pour soi. Moi je me souviens d'elle, sans honte aucune, autant que de Marilyn.

Abdel est entré pour la première fois entre les murailles de bouquins vers ses cinq ans avec une soif de lecture à avaler tout Balzac sans rien y comprendre. Il a admiré l'échelle accrochée à la barre de cuivre qui court tout autour du magasin, vers les rayonnages élevés, les volumes hors d'âge, jaunis, dont Yvonne refuse de se défaire et qui vieillissent là comme des vieux acteurs oubliés à la bourse aux comédiens. Elle a consenti à lui vendre solennellement *Ivanhoé* en version résumée, pour quarante centimes de franc en pièces jaunes, un volume gâté par un verre d'eau renversé. Elle lui a demandé son nom afin de l'inscrire sur la liste des clients fidèles, n'a pas commenté la double origine, juste remarqué la rime entre nom et prénom et s'est présentée à son tour. Lui, les yeux levés sur la robe à fleurs d'Yvonne, ses yeux délavés et cet air de disponibilité sensuelle de femme à la chair simple qu'il ne percevait pas encore, le nez au niveau de la caisse, il a dit, sérieux comme un pape, ou un prophète :

– Mademoiselle LApage plutôt. J'ai cinq ans et je sais déjà lire.

Yvonne a eu envie de reclaquer le clapet de ce gamin raisonneur et bien sûr de lui, et puis elle a vu les mains du petit trembler sur la couverture d'*Ivanhoé*, il allait déjà au début du texte, ses lèvres remuaient au fil des mots, il oubliait où il était, ses remarques de merdeux, et elle a répondu, pas assurée qu'il entende :

– Si tu veux. Lapage est un vrai nom de libraire. Et tu as l'âge de souffrir à cause des livres, désormais.

Abdel est revenu souvent, chaque fois qu'il pensait pouvoir s'offrir un roman. Yvonne a toujours fait sonner le tiroir-caisse avec fracas pour enregistrer les vingt ou cinquante centimes déposés dans sa main tendue par le petit, fier et sérieux.

Plus tard Abdel a payé les livres à leur véritable prix, il y tient. Lui aussi, comme Yvonne, a été seul trop tôt, il a perdu ses parents quelque part sur les lisières de la jeunesse, a squatté chez un oncle distrait, et peut-être de cette solitude il est devenu plus qu'un client, un membre de la famille admis dans le gourbi d'Yvonne : quelques clients assidus, dont Saïd, le fidèle parmi les fidèles au long cours, et Zita, la dernière libraire-vendeuse en titre ;

on peut parler du Social Club de la petite librairie. Il a trente-cinq ans aujourd'hui, est agrégé de lettres en poste dans un lycée de Roubaix, autrefois il y était élève, et éprouve ce matin à l'annonce de la mort d'Yvonne la même douleur, la même sensation de perdre le nord qu'à la disparition de son père d'abord, de sa mère très vite ensuite.

Abdel a poussé le battant vitré et a compris sans avoir besoin de phrases. À peine la porte ouverte sur les odeurs familières, enivrantes presque, de papier trop sec, il venait passer commande d'un Violette Leduc scandaleux au moins à Roubaix, *La Bâtarde* – pour son maigre bataillon de première littéraire pas mal décimé par l'air du temps, une dizaine de filles et un garçon –, à peine il entrait du pied gauche dans la librairie que Zita a glissé de son tabouret derrière la caisse, s'est précipitée sur lui, du sanglot plein le mascara, et s'est serrée contre sa poitrine, les bras autour de sa taille, la joue sur son cœur qu'elle entend battre entre ses pleurs. Comme elle est toute petite malgré ses talons, une quetsche dodue, cheveux noirs, courts à la Lulu, un visage charbonneux de star du muet, et Abdel une perche à houblon, long et blond, dégaine de dandy, du lin informe, des blousons de cuir écorché, Abdel est bien embarrassé à la regarder de haut ; et elle comme une implorante balbutie, il ne saisit pas les mots, devine déjà la raison de cette douleur, et il embrasse le front de Zita, ses yeux mouillés, tout ce maquillage pour fiesta proche-orientale qu'elle croit obligé de se tartiner parce qu'elle est d'ascendance albanaise. Et ainsi on dirait deux amants en pleine réconciliation. Sûrement, du fond de la librairie où il est debout devant le rayon jeunesse Saïd les voit sous cet angle, parce qu'il dit tout haut pendant que le bruit des larmes de Zita se cogne aux falaises de livres, il dit, complètement hors de propos :

– Madame Yvonne elle aurait été contente que vous êtes enfin amoureux. C'est dommage qu'elle est morte.

Avec sa voix d'eunuque. Et une totale candeur qui excuse sa remarque sans fondement et pas bien opportune, sans subjonctif, sur des amours soudaines entre Abdel et Zita.

Saïd a soixante-sept ans et il est lent. Depuis toujours, depuis son arrivée de Kabylie en 61. À son rythme de vie, d'appréhension du cours de l'univers, on devrait estimer son âge réel à la moitié. À franchement parler, il s'est même arrêté avant cette moitié du chemin. En dedans Saïd n'a jamais dépassé la prime adolescence.

Saïd aime le foot, surtout Lille Olympique, sans vraiment comprendre les règles, sait planter un clou, se cuisiner un repas, nettoyer une vitre en deux coups de raclette, c'était son métier agent de nettoyage, mais les dames lui font peur, le monde plus loin que tout près lui fait peur et il n'est pas toujours certain qu'Harry Potter, ou Blanche-Neige, n'existe pas. Il en parle comme de proches qu'il peut visiter à volonté, se demande ce que dirait Meursault, pas Camus, de la situation en Algérie. Il est également certain de communiquer avec les morts, ceux dont il connaît les noms, de les entendre et d'en être écouté. Il promène par les cimetières des conversations avec des défunts de rencontre, parfois des Algériens victimes des luttes fratricides entre Front de Libération Nationale et Mouvement National Algérien, les mouvements indépendantistes, souvent des inconnus à qui il rêve un au-delà. Mais sa vraie patrie est ici, au creux de la librairie, blotti entre les bouquins comme une fleur séchée entre deux pages. C'est ici qu'on lui a reconnu le statut d'être humain, et, à cause de l'hostilité qu'il ressent sitôt qu'il n'est pas ici, dans la maison des livres, les autres sont clairement divisés, bons ou méchants. Le mot « manichéisme », s'il le connaissait, ne l'effraierait pas : le vocabulaire est son domaine, il fait collection d'adjectifs, de verbes, de noms communs et, depuis que Georges Lepage lui a appris à lire et à écrire, en consigne un florilège, il maîtrise le sens de « florilège », dans des cahiers interlignés avant de ranger le tout dans un porte-documents hors d'âge qui ne le quitte pas sauf quand il croit mourir de l'avoir oublié quelque part.

La première fois il était entré avec l'aplomb du parfait béotien, parce que le froid dehors et ce genre de boutique il n'en avait jamais vu en Kabylie, et, tout faraud, une moue de connaisseur aux lèvres, avait fait semblant de lire un Montaigne mais il le tenait à l'envers. Georges s'était placé face à lui, donc dans le bon sens de lecture, et avait lu tout haut l'amitié pour La Boétie, parce que c'était lui, parce que c'était moi. Saïd, même un peu conscient de n'être pas ici à sa place, avait pris le discours à son compte, admis cette évidence du sentiment, et avoué qu'il ne savait pas lire mais qu'il serait toujours l'ami de l'homme qui lui apprendrait, même s'il était tout pâle du crâne avec une blouse grise. Et à souhaiter lire, Saïd voulait aussi écrire. Georges avait répondu, rigolard à sa manière, l'œil sur la silhouette de Saïd : « Parfait, il n'y aura pas de problème vu que t'es bâti comme une parenthèse ! »

Aujourd'hui, la première photo d'Yvonne, j'entends la première avec le Leica offert par Georges et Julie, à

Noël 61, est encadrée au-dessus de la caisse, sur le lambrequin de la vitrine. Saïd, encore tout frais immigré, devant le même rayon jeunesse que ce matin chagrin, y brandit les *Essais* et une page d'écriture. Georges, dégaine de surgé buté aux côtés d'un lauréat du concours général, a les lunettes éblouies par le reflet du flash. Saïd a conservé cette allure creuse de bidet efflanqué, mais il est blanchi sous le harnais, moustache et boucles rases. Et un éternel costume sombre sur une chemise blanche boutonnée jusqu'au col. Pas de cravate. Pour le reste, il tient du coureur des hauts plateaux. Sauf qu'il ne court jamais. Il ne court pas non plus pour venir se mêler aux deux éplorés, partager la larme et écouter Zita raconter sa découverte macabre à Abdel. Il a déjà entendu son récit mais il a repéré un mot qui sonne doux, il aimerait l'entendre à nouveau: «équité».

Zita est arrivée tout à l'heure, juste après déjeuner, pas bien fière de ce qu'elle avait annoncé le matin à Madame Yvonne: elle allait travailler chez *Repères*, vente de produits culturels commandés en ligne et récupérés selon le principe du drive-in ou avec livraison à domicile. Pas de frais de port, pas de frais de libraires, pas de locaux ouverts au public. On ouvrait à Roubaix un entrepôt de stockage, un service d'expédition et des portiques de livraison. Madame Yvonne ne l'a pas licenciée, mais elle ne pouvait déjà plus payer un salaire. Les bénéfices, leur absence, ne suffisaient plus. Le dépôt de bilan était inéluctable. Et puis s'occuper de tous les va-nu-pieds qui passent, l'alphabétisation, militer pour que des loquedus redécouvrent leur condition humaine, Zita sait bien la dépense et elle a pris les devants. Désolée Monsieur Abdel, désolée... Et là, après son annonce du matin, elle a eu peur du silence, que personne ne descende de l'appartement, elle a appelé et s'est résolue à monter aux nouvelles. Madame Yvonne était morte dans son fauteuil, devant les comptes ouverts sur son bureau. Zita s'est sentie responsable, coupable de cette catastrophe et elle a pensé que c'était contraire à l'équité. Voilà, elle l'a répété et Saïd à son tour :

– « Contraire à l'équité ».

– Injuste.

Abdel a traduit, il sait bien les calmes appétits linguistiques de Saïd et épèle même, e accent aigu, q... Zita n'a encore appelé personne, elle voulait prévenir Abdel en premier. Et le voici. D'accord, elle a bien fait. Qu'ils restent là, Saïd et elle, ferment la boutique. Lui va se charger de faire venir son médecin, qu'il constate le décès.

– Mais avant je veux voir Madame Yvonne. Seul.

Et il gagne le fond, l'escalier du petit vestibule avant la resserre, grimpe à l'étage.

Abdel essaie de ne pas regarder le corps effondré parmi les factures, les bordereaux, la paperasse, devant l'ordinateur allumé, les mémos avec l'écriture de toubib d'Yvonne, quasi illisible, collés au-dessus de l'écran. Il reste au bord, sur la dernière marche de l'escalier. Pour supporter la gorge serrée, le chagrin de ce qu'il sait révolu de sa propre vie avec la perte d'Yvonne, il se vaccine à la redécouverte du décor familier depuis trente ans ou pas loin. Cette pièce où un linceul tiendrait à peine fait salle à manger, salon et bureau. Un canapé club fauve bien ériflé, du meuble Henri II, une table de travail, tout est encombré à crouler, dossiers, classeurs, livres. Aux murs des photos de l'époque où Yvonne voulait aller sur le terrain, saisir l'actualité ordinaire loin du spectaculaire, du politique exhibé, et surtout comme elle disait « montrer la bête en embuscade ». D'où un parti pris de clichés avec des gens de dos, dans la rue, des bistrots, des intérieurs inconnus, des énigmes, des mystères humains que Saïd adore commenter quand Yvonne l'invite à monter siroter un café : cette fille en robe à pois, il l'a « demandée » à danser dans un bal d'usine en grève, en 68, cet homme au chapeau cache un couteau... Ses imaginations, sa seule vie qui vaille. Abdel pense que oui, la photo d'un être, même familier, ne nous touche que de ce qu'elle nous en éloigne juste assez pour y reconnaître l'autre sans nous oublier. Yvonne a toléré quelques autres photos de ses parents, de gueules surprises de face au sortir d'un commerce, d'une courée. Aucune n'est postérieure au printemps 62, la mort de Georges. Derrière ce capharnaüm, la cuisine aveugle. On peut y manger sur un coin de desserte. Au-dessus, encore des cartons de clichés, des documents dans l'unique vraie chambre et l'intime impudique d'une salle de bains. Sous les toits enfin, le réduit où dormait Yvonne du vivant de Georges et Julie. Inutile d'y aller voir, rien n'y a changé plus qu'ici. Même pas la poussière.

Quand il a bien respiré ce paradis perdu, Abdel se revoit là sous le cône de lumière aux soirées d'hiver, se souvient des livres qu'il y a lus, des conseils d'Yvonne, le théâtre de Ghelderode. Tu peux l'aborder maintenant, fais attention, juge l'œuvre, pas l'homme soupçonné de sympathies nazies, et Verlaine t'en penses quoi ? Un gredin ? Pense pas, écoute ses vers, et regarde-moi ces clichés de Cartier-Bresson, de Ronis, ils parlent de toi, écoute-les voir ! Et tout cuirassé de passé Abdel arpente la pièce, effleure les meubles, les papiers sans rien déranger, comme s'il découvrait un tombeau de pharaon. Puis il trouve le courage de fermer les yeux d'Yvonne, se penche embrasser une dernière fois les joues de la vieille dame, sort son téléphone, son ami médecin doit être en visite à domicile. Cette pratique qui disparaît partout sauf urgence persiste à Roubaix : les pauvres ont peur de se déplacer jusqu'au cabinet, d'exhiber leur détresse en terrain étranger. Alors les généralistes se dévouent. Celui-ci, le docteur Xavier Hermant, accourt, même si rien ne presse plus. Il doit bien ce service à Yvonne Lepage. Merde, son dico de latin, celui qu'il expose dans son cabinet, histoire de faire toubib lettré, il l'a acheté chez elle, en même temps qu'Abdel achetait le sien !

En bas, Saïd n'a pas bougé. Il soulage souvent par l'immobilité absolue sa jambe mâchucrée dans un café roubaisien mitraillé par le MNA ou le FLN peu après les accords d'Évian. L'attentat où Georges a trouvé la mort. Il s'est juste décidé à pleurer en silence. Pas vraiment d'avoir enfin compris le définitif d'Yvonne morte, peut-être par contagion des larmes de Zita. Abdel vient le prendre par les épaules, le guide vers la caisse, il pourrait le soulever d'une main, demande une feuille blanche à Zita toute reniflante :

– Tu as ton stylo, Saïd ? Pose ton porte-documents… C'est toi qui vas écrire « Fermé pour cause de décès »…

Non, pas « décès », Saïd connaît le mot, il ne l'aime pas. Alors qu'il mette ce qu'il veut, Abdel lui fait confiance. Et Saïd s'applique, en lettres bâtons, il trace « FERMER : AUJOURD'HUI MAMAN YVONNE EST MORTE ». C'est bien, dis Abdel, c'est bien ? J'ai mis pareil que pour la maman, tu sais, celle de l'étranger qui tue un Arabe en Algérie. Oui

Saïd, c'est très bien, tu as lu le roman de Camus. Camus aimait le foot comme toi. Abdel ne rectifie pas la faute, colle l'affichette sur la porte d'entrée, il a du mal à ne pas chialer, Yvonne la dévouée, sans mari sans amants, juste généreuse de ses jours et de ses nuits aux laissés-pour-compte de l'industrie saccagée et de l'immigration, aux Capverdiens, aux Sénégalais, aux Turcs, à tous les errants perdus dans Roubaix la désolée, la dévastée, Yvonne est enfin mère par la grâce de ce jeune vieillard à l'âme pure.

II

On est demain. Hier Xavier Hermant a diagnostiqué un AVC foudroyant, signé les papiers noirs, ceux qui ferment déjà les portes d'ivoire et de corne sur la pauvre morte, Abdel va devoir avancer les frais de funérailles. Pour être remboursé, il lui faudra attendre la liquidation de la succession. Donc il a prévenu et interrogé Maître Liévin, le vieux notaire d'Yvonne dont l'étude occupe depuis peu les locaux d'un ancien courtier en tissus, au bord de l'avenue Lebas aux façades orgueilleuses et déchues qui mène de la Grand-Place à la gare, presque en vue de la librairie pour peu qu'on sorte sur le seuil. Oui, Yvonne a rédigé un testament, est-ce qu'on peut l'ouvrir après l'incinération, jeudi ou vendredi ? Et non, elle n'a pas d'héritiers directs. Les murs, le fonds de commerce, le stock, les avoirs divers, il va falloir évaluer et voir à qui Mme Lepage souhaitait léguer. Maître Liévin parierait sur une association d'insertion, ou plusieurs. De toute façon il faudra vendre pour répartir le montant de l'héritage et payer les droits de succession. Vous imaginez une indivision entre associations ? Et qui achèterait une librairie quand un géant de la vente de livres en ligne s'installe dans la ville ? Des milliers de mètres carrés d'entrepôts, toute la littérature à disposition. Abdel n'a pas de réponse, il voit de près chaque jour l'illettrisme et la friche culturelle après la débâcle industrielle, il parierait pour le rachat par une banque. Il est sorti de l'étude Liévin sur ces mots.

À cette heure de l'après-midi, Abdel est dans la salle des professeurs du lycée, correction de copies dans la rumeur des conversations de ses collègues. Des techniciens sans horizon, résignés aux consignes de la hiérarchie ou albatros sans espoir d'azur, des êtres brillants et humbles, souvent méprisés par des élèves éduqués à l'air du temps, parfois ambitieux mais presque toujours humiliés de n'être pas déjà des stars de la chanson, du foot, de la mode. Abdel corrige d'un œil parce qu'il guette Rosa Alfieri, l'assistante sociale, elle va venir prendre un café au sortir de sa permanence, s'appuyer contre la machine et avoir ce sourire déglingué parce qu'elle vient de se mesurer à des situations qui la dépassent, une misère qui amène le pire, qu'elle vient de se mesurer au tragique d'élèves résignés d'avance à l'amertume des petits emplois, au destin identique à celui de leurs parents qui croyaient changer leur vie en émigrant et ne possèdent toujours que le contenu de leurs pauvres bagages. Parfois elle arbore un sourire royal parce qu'elle a trouvé une solution, un placement en foyer, un rendez-vous avec les services municipaux. Lcs gamins sans histoires, ceux dont les parents ont des ressources, elle ne les voit pas, elle a des élèves une image à l'envers, elle ne rencontre que des damnés. Et elle est belle comme un christ bien roulé, cheveux frisottés longs, blond vénitien, visage dur de fille des banlieues, et un regard d'eau claire.

Toujours en jean, bottes cavalières et veste de cuir qu'elle dézippe après ses permanences sur des caracos sans complexes. D'origine corse malgré ces allures de nulle part. Abdel est amoureux d'elle en ce moment. À la Marivaux. Conscient du danger toujours latent d'aimer vraiment et brave devant ce risque.

Quand elle arrive, cherche sa monnaie, Abdel glisse déjà la sienne dans la machine, il l'a vue venir dans le couloir vitré, a anticipé, noir sucré fois deux, et il peut se retourner lui tendre le gobelet quand il la sent dans son dos :

– Je me suis trompé. Je ne le boirai pas. Noir, sucré à mort, t'en veux ?

Rosa a compris la manœuvre, il est évident de drague Abdel, pas trop intrépide avec les dames mais elle le trouve pas mal, petit cul bien ferme ce flamezoute citoyen honoraire des Aurès, admire ses courageuses désinvoltures devant les potaches, surtout les filles, qui osent des allusions dans les couloirs, Monsieur, votre mère elle a arrêté l'islam ? Alors pourquoi elle vous a pas appelé François ? Abdel, c'est un prénom du bled, ça, m'sieur, de croyant... alors que Duponchelle, c'est gaulois d'ici, un nom d'infidèle ! Oui, parce que la famille de sa mère est d'Oran, son père Alain Duponchelle l'a rencontrée là-bas et l'a épousée. Il n'en dit pas plus aux élèves grommeleux : C'est du colonialisme, monsieur. Eh, monsieur, à quoi elle sert votre vie si vous croyez pas ? À rien, tu en es la preuve vivante, à moins que je sois la preuve qu'on peut vivre sans croire, il ne le répond pas, sourit. Émigrer sur des postes plus glorieux, passer un doctorat, enseigner en faculté, se faire détacher dans un ministère, un rectorat, non. Il est de la race des hussards de la République, le terrain à découvert, pas planqué. À Rosa il a raconté son père, chimiste en teintures textiles, le service militaire de coopération, le coup de foudre avec la fille d'un des techniciens qu'il formait et l'union impossible. Obtenir la main d'une jeune Oranaise au début des années 70, la prendre pour femme dans une noce traditionnelle, la sortir d'Algérie n'a pas été une mince affaire. Alain a été regardé comme un nouveau colon, sa femme et sa famille comme des traîtres à égorger. Et après, supporter les regards ici, la guerre d'indépendance encore douloureuse, il fallait sacrément s'aimer pour survivre. Reste que le cancer se fout de l'amour et qu'il les a pris presque ensemble.

Ses racines corses, vers Porto-Vecchio, Rosa s'en fout. Elle est née à Roubaix, ses parents s'y sont rencontrés loin de leurs origines, se sont mariés le temps de faire deux filles et puis patatras, fin du couple. Rosa est allée une fois dans l'île, pas envie d'y retourner. Sa sœur et sa mère sont allées y vivre après le divorce, grand bien leur fasse. Elle est restée avec son père jusqu'à ses dix-huit ans et sa mort brutale. À part cela, séparée d'un compagnon de dix ans, sans enfants, quoi de remarquable ? Abdel a compris que ses confidences n'en provoqueraient pas de plus intimes chez Rosa. Il a le temps. Surtout aujourd'hui où il lui dit la mort d'Yvonne, Tu ne connais qu'elle, mais si : la libraire à côté de la mairie… Un peu de rentre-dedans pervers parce qu'elle ne lit pas, c'est connu. Sinon des ouvrages achetés en ligne, pointus, de sociologie, urbanisme, ethnologie, psychologie… Pour éviter de rêver, dit-elle. Alors qu'elle ne fait rien d'autre mais pas pour elle, pour ceux qui viennent naufrager à sa permanence.

– Merci pour le café. Et condoléances… Je la vois bien, la librairie de cette dame. Quel âge ? De ta famille ?

Elle a une voix d'abandon, de femme sans cachotteries, une voix transparente. À la croire distraite, ce qu'elle n'est jamais. Elle vient percher une fesse presque sur les copies d'Abdel, façon Lola-Lola, fille de saloon, boit à petites aspirations bruyantes, mal élevée par paresse dans cet univers désabusé. Pour les bonnes manières elle peut repasser, elle veut aussi qu'on ait cette opinion d'elle, une sans illusions. Abdel lève les yeux, soupire, possible qu'il ait le désir simple de toucher le corps de Rosa. Possible. On les regarde, ils ont des proximités indécentes. Tous les collègues sont persuadés qu'ils finiront amants. Eux, s'ils savaient, seraient étonnés de tant d'assurance.

– Soixante-quinze ? À peu près. De ma famille désormais, parce qu'elle n'avait personne. Va falloir trier tous les papiers personnels avant liquidation totale, ses négatifs photo, ses tirages… On ne peut pas tout jeter, ce serait comme lui cracher au visage. Ni les laisser à ceux qui vont hériter, forcément des étrangers. Non, je vais sauver le plus personnel, surtout les photos. Mais j'en ferai quoi ensuite des reliques ? Plus de place chez moi, tu connais mon appartement…

– Non. Fais pas semblant de l'ignorer. Tu veux que j'y vienne ou tu veux que je dise : « J'ai une grande demeure de maître, viens donc voir si une pièce te convient pour entreposer tes trésors ? »

– La deuxième proposition. T'as vraiment une espèce d'hôtel particulier ?

– Immense. Boulevard Gambetta, vers Tourcoing. Ma sœur et ma mère y ont laissé tous les dossiers de mon père dans une soupente. Cet avocat défroqué, ce militaire intrépide, ce type jamais là. Apporte les petits secrets de ta dame et on fera un mariage d'archives. Toute façon, ma mère a été cocue toute sa vie.

– L'infidélité n'est pas le genre de la maison.

– Moi, côté tromperie, j'ai une lourde hérédité. Méfie-toi de moi.

Un battement de cils affolé, Abdel va protester, mais non, il parlait d'Yvonne, pas d'une relation avec Rosa et la voilà qui... Et puis il voit frémir les lèvres de Rosa, il rosit, il a compris, elle le piège, mais si elle croit le battre en marivaudage, elle se fout le doigt dans l'œil, lui ses leçons d'amour il les a prises à pleins chapitres.

– Tant que tu me trompes avec moi, je serai tolérant.

Et les collègues détournent le regard parce qu'ils rient ensemble, Rosa penchée au point de se laisser aller contre Abdel qui l'étreint à la taille. C'est du propre, on n'est pas chez les sauvages, quelqu'un, le proviseur, une secrétaire pourrait entrer. Ces choses-là ne se font pas.

III

L'enterrement, l'incinération d'Yvonne, un vendredi de petit temps, n'est pas une réussite mondaine. Loin s'en faut. On a vu des réceptions plus courues, pourtant cataloguées emmerdantes de longue date. Les vœux des puissants, de certains élus par exemple. Au crématorium encore on se pressait mou, une petite phalange de clients fidèles, les protégés récents, quelques très anciens alphabétisés par Georges et Julie, des membres d'associations d'insertion, de préservation du lien familial, des obscurs qui ont utilisé Yvonne comme écrivain public, des Roubaisiens dont les ancêtres n'ont jamais vu la mer, d'autres du monde entier sont venus des quartiers perdus mettre un peu de couleurs, du boubou, de la djellaba, du sari, des trucs d'autres climats, foutûment gais à côté du costume sombre de Saïd et de celui d'Abdel, du lin marine si chiffonné que Zita, robe noire près des formes, en était choquée, il aurait dû le lui donner à repasser, Enfin Monsieur Abdel, par respect pour Mme Lepage, regardez ces gens, ils sont sur leur trente et un, eux. Abdel en a été froissé tout le temps de la cérémonie, pendant les morceaux de musique préférés d'Yvonne, elle pouvait pas « blairer » les crincrins de Côte-d'Ivoire ni

Oum Kalsoum ni Yvette Horner ni le fado ou les tangos au sirop, pendant *Let it be* et *When I'm sixty four* donc, son top du top, Abdel avait eu honte d'être si négligé. Chiant de l'offusquer à l'instant où elle va partir en fumée.

Le malaise d'Abdel se calme à peine au cimetière, sur la tombe de Georges et Julie. Avec Zita et Saïd, qu'il a trimballés dans son auto, pas question que Saïd vienne en Vespa, ils sont en tout petit comité. Et ne savent pas quoi faire de l'urne avec les cendres encore chaudes. Abdel a pensé bêtement qu'il pourrait la déposer dans le caveau, encore eût-il fallu penser à le faire ouvrir. Là, il ne se voit pas la rapporter chez lui. Zita non plus, Saïd inutile d'y penser, il parlerait avec Yvonne toute la journée. Déjà que là il déambule et salue bien bas des sépultures, entame des conversations avec des spectres.

Au passage du canal juste avant le cimetière il a fallu ralentir, s'arrêter, pour voir si des cadavres égorgés ne flottaient pas sur l'eau noire. Saïd est descendu, s'est accoudé au parapet et s'est mis à parler sans embarras à des interlocuteurs proches, on entendait qu'il donnait des nouvelles de Salah, de Djamel, Nacer a eu un fils, il s'est marié, il s'est mis à parler aux pauvres massacrés des règlements de comptes entre MNA et FLN. Ceux dont il a les noms, exclusivement. Les années n'ont pas passé depuis la guerre civile en exil de 61-62, les événements se produisent tous en synchronie pour Saïd, horizontalement. Seul l'espace existe. Obscurément, sans formuler la chose avec clarté, il considère juste qu'il marche, se déplace et découvre chaque jour des moments, des êtres, qu'il perd de vue mais qui continuent à vivre immobiles dans un temps figé. Il conçoit ses limites spatiales, mais si on lui demandait avec qui il peut dialoguer aujourd'hui à Sainte-Hélène il répondrait Napoléon, à supposer qu'il connaisse son nom. Inutile de lui montrer ses contradictions, il se ferme, certain qu'on se moque de lui, comme toujours. Logiquement les morts n'ont plus de place à eux, ils sont des expulsés de la communauté et sont parqués dans les cimetières, c'est une villégiature, on peut y deviser avec eux, qu'ils soient visibles ou non. Il faut juste savoir leur patronyme.

D'où l'envie, quand on lui demande son avis, de répandre les cendres sur la dalle funéraire afin qu'Yvonne entende et voie le monde. Zita proteste un peu, Va falloir être un grand garçon Saïd, t'es plus un gamin… Oh et puis après tout ! Abdel ouvre l'urne et la tend à Saïd, fais-le, c'est ton idée, installe Yvonne où elle sera le mieux pour faire salon comme autrefois dans sa librairie. Et avec Zita qui se serre contre lui il regarde Saïd claudiquer autour de la dalle, déposer sur le caveau des lignes de cendres, rectilignes, suivant les arêtes du granit comme du produit anti-limaces ou fourmis, c'est selon. Parfois il pense que le vieil homme n'est pas dupe de lui-même, qu'il accentue ses étrangetés pour se protéger, masquer sa différence culturelle et ses trouilles d'immigré vulnérable par la comédie d'un doux handicap profond. Qu'on lui foute la paix.

Comme il termine son espèce de rituel vaudou amateur, presque à croire qu'il va ressusciter Yvonne avec des tours de vieille magie noire, le gravier de l'allée grince et un couple est là, plus âgé que Saïd, la femme ridée fin comme les entailles de l'eau sur un bois flotté, foulard noir bien tendu au ras des sourcils, trapue dans ses châles chamarrés à franges, sa djellaba blanche, le regard bas. Et lui pas bien haut, un olivier centenaire, noueux pour ne pas tenter la mort qui abat plus volontiers les arbres fiers, moustache blanche, coiffure à l'ancienne avec des effets de vague, un buste de barrique qui l'oblige à s'habiller deux tailles trop grand, en costume perle, à peine une moitié de main visible au bas des manches trop longues. Ils ont des yeux de deuil, fixes et compatissants, est-ce qu'ils étaient à la crémation, Abdel pense que oui, à l'écart de tous. D'un geste ample et pas naturel, de Dieu je me comporte en croque-mort avec la famille, il les invite à s'approcher :

– Si vous souhaitez vous recueillir, c'est tout ce qui reste, les cendres de Mme Lepage… Euh, Mme Lepage repose désormais ici auprès de ses parents. Vous étiez de ses clients ?

Les deux vieux hochent la tête, elle regarde son mari, lui seul parle :

– Pas de ses clients. Lire, on n'a pas l'habitude. Des obligés. Je connais le mot « obligé »… Ça veut dire « qui a une dette ». Début 62 l'Algérie ne veut pas de nous, la France nous abandonne, nous allons mourir, un officier nous met dans un bateau, et par la volonté de Dieu nous arrivons quand même à Roubaix et M. Lepage nous aide à remplir les papiers, aller dans les bureaux faire les tampons et chercher du travail. Nous sommes ses obligés, à lui et à sa fille.

Il a l'accent louvoyant, dansant, est-ce que la mère d'Abdel avait le même, oui, sûrement. Si seulement il pouvait s'en souvenir. Le temps d'essayer il a une seconde d'absence et les visiteurs ont déjà tourné le dos, s'en vont. Un petit vent soulève les cendres d'Yvonne, comme une ombre qui danse. Saïd est demeuré immobile, regard d'aigle, tant qu'ils étaient proches de la tombe. Maintenant il récupère son porte-documents sur un caveau voisin, vite son cahier, stylo, « obligé » il ne l'a pas dans sa collection, Dis-moi les lettres Abdel... Et on le sent d'une fureur lente, vexé plutôt, à en être paralysé, ouvrir son cahier à l'envers, plus savoir quoi, où écrire, comment écrire, Zita fait Ahlàlà, les talons de ses escarpins enfoncés profond dans le gravier ; vexé de ne pas tenir ce joli mot, bien poli, d'un professeur, de Madame Yvonne, ou de Quelqu'un, un être majuscule, un ami. Parce que venu de ces deux-là, « obligé » est souillé, impur... Abdel sent la tension, remet le cahier de Saïd à l'endroit, le vieil homme tremble. Viens, assieds-toi sur cette dalle, le mort s'en fout, je vais te l'écrire, ici, en bas de la colonne, après « apocalyptique », tu sais le sens du mot...

Et alors qu'Abdel calligraphie soigneusement, comme un instituteur d'autrefois, Saïd montre son porte-documents, dérape dans les aigus :

– Ces gens je les connais, j'étais dans un bateau, comme eux, j'ai leur nom. Des harkis. Des traîtres !

L'ouverture du testament a des allures de remise des prix dans les festivals de cinéma. Maître Liévin, vieux notable à tête de chien et nœud papillon, debout coupe-papier au poing, cul appuyé à son bureau devant les baies de l'imposante demeure Belle Époque du boulevard Lebas, dit d'abord sans conviction que ces Champs-Élysées de Roubaix sont prêts à revivre, non le quartier n'est pas mort. Puis il ouvre l'enveloppe, parcourt rapidement un feuillet :

– Je vous l'aurais bien annoncé avant si j'avais eu le droit, monsieur Duponchelle : vous êtes légataire universel de Mme Yvonne, Colette, Louise Lepage. En l'absence de descendance directe, indirecte et d'ascendants… Je vous suggère de réfléchir avant d'accepter cette succession…

– Qui comprend ?

– Le fonds de commerce, les murs de la librairie, l'appartement au-dessus, les liquidités et comptes divers, voilà pour les actifs, une partie des stocks avant retours, sous réserve de surprises peu probables. Quant au passif, il me faut l'évaluer. Dettes, en-cours bancaires… Dépôt de bilan imminent, faillite, que sais-je ? En l'état, à quoi bon vous établir une attestation d'héritage : le solde des comptes de Mme Lepage ne suffira pas à vous rembourser les frais d'obsèques ni surtout les droits de succession, et ce serait vous engager à l'aveuglette…

– Établissez, maître. Et ne me demandez pas pourquoi.

Parce qu'Abdel ne connaît pas les motifs de sa folie. Il y pense, les clés de la librairie et son attestation en poche, pendant qu'il rejoint Saïd et Zita au rez-de-chaussée de l'étude. Fidélité à la mémoire des Lepage, à leur œuvre d'accueil, dette humaine envers Yvonne, militantisme culturel et social pour le maintien des librairies de quartier, ou orgueil de gamin écartelé, vengeance de bougnoule blond comme on l'insultait au collège ? L'agrégation était déjà du domaine de la revanche, surtout celle de lettres. Pour que cette victoire soit complète, il aurait fallu que Samia, sa mère, vive assez et la partage. Le concours prestigieux aurait moins impressionné le père, technicien chimiste, un aristo ouvrier, à cause de la matière, la littérature à quoi ça sert ? Et puis de nos jours, prof, métier de merde, il l'aurait au moins pensé. Peut-être aussi à cause de cette idée de son père mort avec ses préjugés négatifs. Abdel ne sait pas encore comment ressusciter la librairie à l'agonie mais il a envie de résistance, de ne pas plier l'échine.

En bas, puisqu'Abdel hérite, Zita se contente de réclamer son arrérage de salaire, sans hargne, pour dire de dire, garder l'estime de soi. Abdel promet de régulariser, dès qu'il pourra. Elle commence officiellement à travailler chez *Repères* lundi, le jour de l'ouverture, en réalité dès l'instant, là, puisque *Livres* est fermé, n'est-ce pas ? Yvonne lui a donné sa formation de libraire, en alternance, elle n'oubliera pas. Mais une entreprise d'une infinité de mètres carrés, tout un peuple de salariés, on n'est plus du même monde, hein ? Et elle passe dans la lumière de l'avenue avec des promesses de revenir aider au cas où, au moins dire bonjour un de ces quatre, qui s'effilochent dans le courant d'air.

Saïd est souriant. Il a noté « héritage », « succession » dans son cahier. Son cahier, aïeaïeaïe, il l'a bien en main mais il a oublié son porte-documents chez le notaire ! Panique, il fait demi-tour, vingt secondes pour récupérer son bien et il retrouve Abdel, soulagé, pas bien de perdre ses affaires... Et puis son affolement d'enfant passe en moins de deux. Il prévoit des aventures à fureter dans le temps arrêté d'Yvonne, ses photos surtout. Hein oui, qu'Abdel veut bien qu'il l'aide à tout ranger ? Mais oui. Maintenant il va rentrer chez lui, à deux pas, dans un minuscule appartement sombre de la rue du Vieil-Abreuvoir, un des seuls immeubles sans panneau « à vendre », vue sur le cul de Saint-Martin, au cœur désolé de la ville. Au coin face à l'église un grand café légendaire, l'*Hôtel de France*, demeure vide, vitrines sales sur un intérieur mort. On s'y montrait comme à un opéra de rue, les garçons avaient de la suffisance dans leurs paupières lourdes. Saïd a toujours pensé qu'il n'avait pas le droit d'entrer, même accompagné par un vrai Français, dans un établissement si huppé, sans immigrés. À l'époque, au ralenti sur sa mobylette bleue, depuis sa retraite il roule Vespa d'occasion blanche, il saluait les consommateurs en terrasse. Maintenant il est trop tard pour oser s'y installer. Il ne comprend pas les « si » et les « on verra » d'Abdel à propos de la librairie. Il est rassuré, il va garder ses horizons de papier, demeurer en terrain connu, pacifique. Et il range son cahier parmi ses archives de toujours, exhibe une feuille jaunie aux bords craquants de crêpe recuite, soudain cérémonieux et filou, la remballe rapide comme dans une prestidigitation, et sa voix de gamin tout fier :

– Tu vois : les traîtres, les harkis, je les ai tous !

Abdel glisse son bras sous le sien, il va le raccompagner.

– Nous sommes tous des traîtres, Saïd. Tu devrais rajouter mon nom.

Saïd en reste écarquillé, presque offusqué.

– Ah non, toi t'es le chef des mots.

IV

Quand Abdel retourne à la librairie, un dimanche vers juin, il fait enfin beau mais dans cette rue, on sait, les saisons n'ont pas cours, il n'a pas le cœur d'ôter l'affichette de Saïd encore collée à la porte. Il écoute l'écho de la clochette, la même depuis toujours, bousculée par l'ouverture du battant. Les jours, deux, trois semaines depuis la crémation d'Yvonne, ont été remplis de conseils de classe, réunions d'orientation, concertations avec les parents d'élèves terrifiés ou furieux du rituel.

Nom de Dieu, qu'est-ce qui lui a pris d'accepter l'héritage ? Maître Liévin est encore bien loin de pouvoir présenter un état de succession clair, il est passé regarder les écritures, s'est fait transmettre le bilan comptable, est en train d'estimer le fonds mais rouvrir n'est pas envisageable dans l'immédiat. De toute façon, Abdel ne le souhaite pas, il lui faut apprivoiser ce qui bat toujours dans les étages, cette mémoire des Lepage, et s'habituer à être là chez lui. Alors qu'il est sûr, désormais, d'avoir commis l'erreur du siècle. Qu'est-ce qui lui a pris de se foutre sur le dos une librairie, pas un sex-shop ou un kebab ? Et une librairie en faillite dans un marché peau de chagrin que *Repères* a commencé de ratisser ! Il n'est pas question de jouer à la marchande comme aux années d'enfance, avec les délurées du square près de la maison des parents, deux billes pour un bifteck de dînette en feuille de platane. Elles faisaient semblant de lui rendre ses billes puisqu'il avait fait semblant de manger la viande. Il en pleurait Abdel-pas-belle. Elles l'appelaient ainsi, au féminin. Il ne s'est jamais vengé de ces gamines mariées trop tôt avec un rien du tout fier de ses couilles, mêmes pas serveuses au McDo. Leur vie s'est chargée de sa revanche. Mais la notion de commerce est restée attachée à ces cruautés d'enfants alors que la librairie était son Éden. Il sera incapable de gérer ce paradis perdu, la fermeture de l'entreprise lui arrachera les tripes et il sera personnellement ruiné. Inch Allah et vive le stoïcisme face à la fin inéluctable !

Tout à l'heure Saïd viendra jouer les fantômes quand il l'aura décidé, et Rosa plus tard, elle a averti par SMS, elle passera apprécier le volume d'archives à stocker chez elle si Abdel vend l'appartement pour payer les droits de succession et les dettes comme elle l'a suggéré, toujours par SMS. Pas idiot, ce projet soufflé par Rosa. À qui Abdel n'ose plus faire le coup de Je me suis trompé de touche à la machine à café. Il a donné sa petite comédie cinq fois de suite, Rosa a fini par se pencher à son oreille, elle ne lui parlera plus s'il ne trouve pas un nouveau moyen de la draguer. Jusqu'à aujourd'hui elle a tenu parole, aucune réponse à Bonjour Rosa, quel temps de chien, hein, Rosa, les terminales L ne peuvent pas aller à ta permanence, tu t'en fous, bon, tu t'en fous, tu me parles plus, bon tout est fini entre nous. Même pas commencé crétin. Encore par SMS.

D'abord, dans les odeurs mêlées d'encres, certaines

qui puent, celles du papier, sans allumer, rien qu'avec un peu de matin qui coule de la vitrine, le courrier récent en main, Abdel s'offre un pèlerinage immobile, tourne sur lui-même et lève la tête vers les rayonnages les plus élevés. Ce Lanoux, *Le Commandant Watrin*, du diable s'il ne l'a pas toujours vu au-dessus de la porte du fond ! À côté du tome 7, dépareillé, du théâtre de Feydeau, mal rangé parmi les romans. Ensuite, perché sur l'échelle, il reconstitue une chronologie par défaut de ses années d'apprentissage, voilà un *Arts poétiques* dont il n'a pas voulu en terminale quand Yvonne l'a sorti de la vitrine, tout jauni, pareil pour le tome 1 des poésies de Milosz. Refusé à l'époque de la khâgne parce que déjà lu. Et puis ses parents mouraient : il a lu *La Peste* en poche, par défi, pour conjurer. Les *Boutiques obscures* de Modiano, autre exemplaire de vitrine, négligé aussi à cause de la séparation d'avec une éphémère Nathalie qui le lisait pendant leur brouille, période de prépa d'agreg.

Ainsi, suivant les étagères comme on s'abandonne au cours d'un fleuve, au fil d'un chemin, Abdel explore la surface de sa vie et le détail d'une géographie dont les continents sont demeurés immuables, sans dérive aucune : jeunesse, policiers, sciences humaines, littérature française, étrangère... Yvonne ne pratiquait guère le retour à l'éditeur. Un ouvrage lui plaisait, elle ne parvenait pas à le vendre, alors elle le gardait, immobilisait par le fait un capital mais constituait un petit trésor de livres épuisés. À condition de vendre sur le net, par exemple ces *Paravents* de Genet édités à l'Arbalète. Et de ne pas laisser la lumière ternir les couvertures. Tout cela à vérifier par l'état des stocks, l'inventaire de la réserve, à faire coïncider avec le contenu de l'ordinateur de la librairie, surtout. Un instant il se poste derrière la caisse, sur le tabouret de bois d'Yvonne, comment a-t-elle pu s'y asseoir toutes ces années, il ouvre le tiroir avec ses clés, compte 35 euros et 35 centimes, pas lourd pour payer l'entrée au paradis, et puis il rétablit l'électricité au compteur et monte. Au passage, il a pris des sacs-poubelle dans le réduit de l'aspirateur, sous l'escalier.

À l'étage, les bras lui en tombent, il s'en doutait que tout serait intact, l'ordi éteint, on s'est contenté d'enlever le corps d'Yvonne et la tâche à venir rebute, apprendre le métier, apurer les comptes, nom de Dieu de découragement ! Et puis le mot du vieux harki lui revient, « obligé », oui il est obligé dans les deux sens, redevable à Yvonne et contraint puisqu'il s'est engagé. Alors, on se retrousse les manches, monsieur le coupé en deux, monsieur cul entre deux chaises, arabo-européen ! Se moquer de lui-même le requinque, comme au matin de l'oral à l'agreg, La Fontaine au programme, des suées de trac, au point de penser comme les petits caïds qui lui criaient au collège avant de le torgnoler, « le crouille a la trouille », et puis il s'est moqué de lui-même, lui le raton des champs allait écrire une nouvelle fable, « le rat de bibliothèque », et il s'est présenté devant le jury avec le poil sec. Faudrait quand même se faire aider par Zita pour y voir clair dans la marche de l'entreprise. Il laisse un mot sur sa messagerie, exagère son désarroi, petite voix pitoyable, Ma Zita, je vais pas m'en sortir sans toi... Serait étonnant qu'elle refuse, elle a besoin d'affection, Zita... Un rien cynique cette idée, tu vas finir gigolo, Abdel... Est-ce qu'il peut demander à Rosa de se charger des vêtements, du petit linge ? Elle ne le prendra pas comme un détour amoureux, une parabole du froufrou qui l'inciterait à exhiber ses propres dentelles ? Non, Yvonne ne devait pas avoir d'habitudes légères en matière de lingerie. Un autre point réglé, tu vois Abdel, le mécanisme est enclenché...

Sur sa lancée, il passe quand même au large du bureau jonché de feuillets en désordre comme un champ de bataille au crépuscule, y jette le courrier en souffrance et file dans la cuisine en impasse aveugle, vide le frigo, la partie congélateur pleine à déborder surtout, de son contenu à l'agonie depuis qu'il a coupé l'électricité. Merde pas pensé ! Oh la vache cette odeur de viande pourrie ! Yvonne aimait le steak, le saignant, elle partageait aussi ces nourritures-là avec des démunis. L'odeur l'oblige à ouvrir une fenêtre en façade, coincer la porte de communication. Le reste peut attendre. Il descend jeter le sac de bidoche avariée dans une poubelle qu'il sort sur le trottoir, les éboueurs vont passer.

Deuxième démarche, jeter un œil sur les archives de la chambre et du réduit sous les toits, affronter le sentiment de profaner un lieu sacré, tabou, ne pas les découvrir en même temps que Rosa. Devrait pas tarder, Rosa la rose. Là non plus, l'ordre ne règne pas, les étagères qui servent de tête de lit font alterner les classeurs de factures, de bordereaux et les cartons de tirages ou de négatifs. Pas d'étiquettes, parfois un griffonnis illisible. La poussière là-dessus n'en parlons pas, qui sent le chaud et le confiné, le vieux. Admettons que tout ce qui concerne la librairie ici est de l'archivage, on peut donc s'en désintéresser et mettre à part le travail de photographe d'Yvonne. Parce que ce serait bien, l'idée germe à l'ouverture d'une boîte, un vieux cliché noir et blanc où on voit le cul d'une 4CV, un type en mauvais costume sort d'un bistrot, à demi tourné, mince moustache et chevelure crantée, et jamais

Abdel n'a vu tant de peur dans un regard, est-ce pris ici à Roubaix, oui ce serait bien de spécialiser la librairie si elle peut survivre, dans la photo et ce qui tourne autour, et partir des travaux d'Yvonne...

Il pose la boîte sur la commode à dessus de marbre, une relique, machinalement ouvre un tiroir, trop à fond, patatras tout se répand, des intimités de coton, du bas opaque, de l'interlock, et aussi, Abdel en est sidéré, du soyeux, du coquin, oh pas beaucoup, un ensemble soutien-gorge et culotte dans un papier doux, couleur d'ambre, coupé à l'ancienne, le bonnet lâche, pointu, la taille haute, tous les élastiques tellement secs et friables que la parure n'a plus de tenue. Et puis c'est un rien éraillé, griffé on dirait. Ah ben merde, Abdel pense ça, tout rose d'avoir entre les mains la preuve des grands écarts d'Yvonne autrefois, elle a donc eu des émois, allons tant mieux, elle a vécu ! Il renfourne le tout dans le tiroir, Rosa fera le tri du recyclable.

Et il entend racler en dessous, dans la salle à manger. L'escalier survolé, même pas les pieds sur les marches, et il tombe sur Saïd, bancal dans l'espace étroit, qui a entrepris le ménage, tout bien en ordre, les papiers en tas, réguliers, par format, son cartable tout près, les chaises au cordeau, déjà prêt au coup d'aspirateur qu'il a remonté d'en bas. Excuse, Monsieur Abdel, c'était ouvert la porte de la librairie, t'as pas entendu la sonnette, je savais que tu étais là, j'ai mis en ordre ici, mais la chambre de Madame Yvonne moi je suis pas une personne autorisée... Il a tombé la veste, chemise blanche et cette foutue poitrine convexe, il parle, pas pressé, le timbre haut, et passe en même temps un chiffon sur la table, le buffet. Nettoyer, ce qu'il fait le mieux, personne n'a jamais pu l'accuser de saleté comme souvent, que les Nord-Africains sont dégueulasses. Quand on veut tuer son chien on le prétend galeux… Abdel lui tend la main, drôle d'impression cette toilette funèbre de l'appartement, à la fois un prolongement d'Yvonne et un grand coup de balai sur les menus témoins de son existence.

– Tu as bien fait. Et merci pour le rangement. Fait chaud aujourd'hui, hein ? Et n'aie pas peur : ici tu étais chez toi bien avant moi, tu as le droit d'aller partout. Tu vois, aujourd'hui, l'immigré c'est moi ! Tiens, tu pourrais trier les cartons d'Yvonne dans sa chambre et au-dessus ? Tu regardes dedans et tu montes ceux qui contiennent des photos tout là-haut… Le reste, tu essaies de le caser je sais pas où, débrouille-toi.

Saïd a écouté, tout froncé, Abdel immigré, non, il est algérien, aucun Roubaisien français s'appelle Abdel, il a eu un balancement des bras, un élan, les yeux au plafond, soupir, et il s'ébranle, oui de la tête, il a enregistré sa tâche. Abdel s'assied devant l'ordi, tire les piles de papier lissées du tranchant de la main par Saïd et entreprend un classement. Peut-être aussi qu'à s'y plonger il comprendra le fonctionnement de la librairie. Si seulement Zita arrivait…

D'abord allumer l'ordi. Un Mac. Parfait, matériel familier, le fond d'écran est un cliché de Georges et Julie qui posent sur le trottoir sans ombre devant la vitrine. Passer en revue les dossiers qui s'affichent, « offices », « retours », « prénotés », « pilotés », « courrier éditeurs/distributeurs »… Aucun ne semble dédié à la photo, ou alors derrière l'icône du palmier dans la barre de bas d'écran, on ouvrira plus tard, avec Zita, pareil pour les mails. Abdel n'a pas la force de les affronter tout de suite. Il n'y trouvera pas de lingerie fine, mais justement, Yvonne a conservé ces coquineries et elle aurait bien été capable de conserver aussi une vieille liaison occulte, jamais rompue mais si joyeusement canaille avec un sale type, suffisait de voir son regard de défi parfois, fallait pas la provoquer elle allait au désastre en mule, certaine de l'échec et ravie de le décider seule. Peut-être qu'Yvonne gardait aussi de la correspondance sur papier, des lettres… On verra avec Rosa cette fois… De toute façon, pour vendre, sauver le commerce, il faut faire place nette, sans scrupules. Et Abdel tire à lui une des piles de feuillets édifiées par Saïd qui pousse des meubles sous les toits, traîne des cartons sur le plancher à faire gémir la bâtisse.

– Voyons voir… Facture Interforum… Facture Hachette… Bon, ce sont des distributeurs… Bordereau de retour… En voilà un…

Il grommelle seul, dans la rumeur méchante des autos qui filent dehors sous la fenêtre ouverte, reconstitue d'autres tas, tâche de retrouver une chronologie, bute sur l'aridité des chiffres, merde la gestion de l'œuvre de Flaubert et de ses semblables n'est plus de la littérature… Et finit par ouvrir le courrier récent, un relevé bancaire.

– Oh putain !

Presque hurlé, à faire descendre presque vite un Saïd inquiet, un cliché encore en main. Abdel le calme d'un sourire, c'est rien. Sauf que le découvert en banque est abyssal, aucune liquidité n'est plus disponible sur aucun compte, PEL, épargne, assurance-vie… Pas besoin d'être expert-comptable : Yvonne est morte mais la librairie était condamnée. Comment seulement payer les droits de succession ?

Saïd a vu, approche de son pas chaotique, désigne les

colonnes de chiffres, C'est les sous, hein Monsieur Abdel, t'as plus de sous, si tu veux je t'en donne...

– Merci Saïd, je vais trouver une solution... C'est quoi cette photo, montre...

Saïd vient poser le tirage, un papier assez épais, devant Abdel. Un fait divers en noir et blanc. Une sorte de cliché de police après mort violente. Nuit ou petit matin, guère de lumière sauf celle du flash qui décolore le pantalon du cadavre écroulé sur le ventre, une jambe repliée sous lui, bras droit plié au coude, l'autre écrasé par la poitrine, le veston rebroussé sur les reins, comme s'il était mort à l'instant où il se retournait, tentait de fuir. Un type pas épais, noir de poil pour le peu de cheveux qu'on voit, juste le derrière de sa tête. Les semelles de l'homme apparaissent bien, au premier plan, violemment éclairées. Elles sont trouées, talons éculés on ne peut pas plus. Autour on devine un coin de rue, peut-être l'angle d'un bistrot.

Abdel regarde au dos, une date, un nom. Rien. Yvonne a pris cette photo ? Saïd hoche la tête.

– Je le connais bien...

– Oui je sais, tu as son nom dans tes cahiers...

Abdel n'a pas pu s'empêcher, agacé, acerbe, et s'excuse déjà, Saïd est la mémoire des immigrés de Roubaix, une biographie vivante, respect total. Saïd bat des paupières :

– Il s'appelle Radouane Djamel.

– Il est mort en même temps que Georges, c'est ça, la fusillade dans un café ? Quand toi tu as été blessé...

– Non...

Saïd est immobile, une main sur le cœur, maintenant il parle ferme à l'assassiné. Abdel devine qu'il parle au mort.

– … Je crois c'est rue Turgot, n'est-ce pas ? Tu veux rester messaliste, Djamel, et ceux du Front te disent si tu restes tu es mort. Et tu es mort…

Et puis revient un instant à Abdel toujours épaté par cette facilité à passer d'un monde à l'autre, nom de Dieu il joue la comédie, un moyen de se protéger.

– … Georges, c'est après. T'es déjà mort Djamel. Après Georges, Yvonne a arrêté, plus de photos après. À l'époque elle est encore dans le journal *Nord Éclair*, elle fait les photos. Celle de toi mort au revolver, Djamel.

Tiens donc, les harkis, les messalistes du Mouvement National, le Front de Libération Nationale, Saïd n'a pas peur de revenir aux années noires ! Et il connaît le terrible des relations entre les mouvements indépendantistes. Toujours son univers immobile, sans frontières entre ici-bas et l'au-delà. Abdel tend la photo au jour, scène barbare d'une guerre civile oubliée de l'histoire.

– Et…

Ils n'ont pas entendu Rosa entrer, monter l'escalier. Elle est derrière eux, éternelle amazone en jean et cuir, une sorte de grosse rose des vents en argent à l'annulaire droit, elle plisse les yeux, lunettes solaires remontées sur le front, voix rude :

– Et j'ai exactement la même à la maison.

V

Les présentations faites, Saïd tout timide, tracassé par la tendresse sans manières de Rosa qui ose un bisou au coin des lèvres d'Abdel, il faut bien se demander pourquoi il existe deux tirages semblables chez Yvonne et Pascal Alfieri. Rosa a commencé à mettre de l'ordre dans les archives de son père pour évaluer la place à offrir à celles d'Yvonne et elle est tombée sur une coupure de presse dans un carton plein de comptes-rendus d'audiences ou de simples faits divers. Dont cette photo dans un journal, au-dessus d'un article qu'elle n'a pas lu. Saïd réaffirme, Radouane Djamel, et Abdel dit, Oui, si tu le dis, et puis ? Le père de Rosa, à sa sortie de l'armée, en 61, s'est décidé à exercer enfin son véritable métier, avocat. Il a suivi les autres faux frères, rapatriés pieds-noirs et harkis, jusqu'en Nord-Pas-de-Calais, y a constitué une partie de sa clientèle. Hypothèse : il a représenté la partie civile pour le pauvre mort au veston retroussé ou pour un suspect accusé du meurtre. D'où cette coupure dans le vrac de ses reliques judiciaires. Maître Alfieri doit y être mentionné. Vraisemblable. Suffira que Rosa vérifie. Guère d'importance. Pour l'instant on classe pour jeter ou transférer. Pas question de vendre des lieux en foutoir.

Or il faut vendre l'appartement pour sauver la librairie. On demandera à Maître Liévin, mais Rosa penche pour cette nécessité.

Vite l'après-midi arrive et l'ombre dans le petit logement, Rosa propose d'aller chercher de quoi grignoter. Efficace elle a déjà ficelé des ballots de vêtements, ce qui peut passer aux associations caritatives et les rossignols, le bon à jeter. Elle fait ce bilan rapide et, en suspens, se tait, Abdel a un sourcil levé, oui ?

– Ton Yvonne avait de la lingerie de bourgeoise encanaillée… Pas du récent… Il y avait un coquin là-dessous ? Elle t'en a parlé ?

– Non. J'ai vu ces froufrous tout à l'heure, et j'ai réfléchi. Imaginons : violée à sa belle époque, sans rien révéler ? Parce que la soie de la culotte et du soutien-machin est griffée ! Et puis non, je pense que non, personne n'a violé Yvonne, et elle aurait jeté tout rappel de ce, de ce… Et si elle avait été fiancée et larguée, refusée par la belle-famille, ou mieux, promise à un soldat disparu en Algérie ? Chagrin et tout, fidélité à la mémoire du beau militaire et elle garde en souvenir sa tenue de plaisir, consommé ou pas…

– Peu vraisemblable mais possible. Dans ce cas on va retrouver des lettres, d'autres traces de la liaison… Des pizzas, ça va ?

– Madame Yvonne elle a beaucoup pleuré. Elle voulait mourir elle disait. J'aime bien la pizza.

Saïd vient de déposer un carton plein, commandes et factures, au bord de la cuisine, il redresse sa carcasse creuse et souffle. Abdel réagit depuis le haut de l'escalier que Rosa descend déjà dans le tac-tac de ses talons.

– Quand ? Elle avait perdu un ami ?
– Non. Quand Monsieur Georges est mort dans le café que j'ai été blessé à ma jambe. C'était la guerre des cafés, on disait…
Bien sûr Saïd, bien sûr… Donc non, Yvonne n'a pas été une veuve avant l'heure, elle avait plutôt espéré un galant, un de ses collègues journalistes, s'était offert la lingerie de gala en prévision, et survient la tragédie de l'attentat, sa mère qui décroche, rideau sur les rêves, elle s'est cloîtrée, consacrée à la librairie, a continué la mission sociale de son père, alphabétisation, insertion, intégration et tout ce qui tente d'empêcher les préjugés du racisme entre copains de boulot, voisins, et le rejet gratuit. « Abdel elle est pas belle »… Abdel a eu des parents miraculeux, mais il était l'Arabe blond, ni baptisé, ni fils d'Allah, mécréant, et il a vécu son enfance comme une monstruosité, et pire encore parce qu'il a dépassé la honte par les succès scolaires. Crachats et taloches, pas de Facebook à l'époque Dieu merci, mais la guerre des pupitres, la guerre des chiottes, des couloirs, des cartables, des petites amies impossibles, des méprisantes qui inventaient des histoires d'exhibitionnisme, qu'il leur montrait sa queue toute petite et ça lui valait des tannées par les valeureux mecs de ces gamines ratées, la guerre de celles qui s'en prenaient plein la gueule de lui tenir la main et qui le répudiaient comme une épouse de douzième rang. Tout ce qu'il a raconté à Yvonne, ici, les scènes de larmes salées après la fermeture, dans les bras d'Yvonne, est-ce qu'elle avait ses dessous affriolants à ce moment-là, Abdel ne sait pas, il y pense une demi-seconde, parce qu'à la maison non, il ne se livrait pas, maman et papa ils en auraient pleuré avec lui, se seraient rendus malades. À la maison

tout allait bien et il pensait mourir si le temps n'accélérait pas, ne dépassait pas l'enfance. Alors maintenant c'est fini de supporter les volées par des petits cons, la chair de l'humanité c'est la création, alors il va faire comme les chercheurs de Pasteur, du CNRS, payés trois sous mais qui s'obstinent à progresser à petits pas, il va être le fameux colibri qui tâche d'éteindre l'incendie, il va faire son boulot d'homme, ici à Roubaix, la ville la plus pauvre de France, parmi les chômedus et les dealers, les petites qui croient n'avoir que leur virginité comme fortune, les desperados sans culture de nulle part, parmi les sociétés de haute technologie, dans un monde écartelé sans repères communs, et vivre ou crever avec cette librairie. Et regarder les dossiers de l'ordi en face. Avec Zita, tout à l'heure, parce que seul…

Et Abdel grimpe dans la chambre d'Yvonne, Saïd n'a qu'à finir le tri sous les combles en attendant la pizza, d'accord Saïd ?

Rosa a déjà bien fait le vide des armoires, restent juste cartons et classeurs. Il faut mettre à part ceux de clichés et de négatifs. Ceux-là sont le véritable héritage d'Yvonne. Il pose un premier carton sur le lit qui se creuse comme pour un corps timide, pas plus que pour celui d'Yvonne, bien amaigrie sur la fin, et ôte le couvercle. Vache de capharnaüm. Et pas une note, rien, à décourager un pèlerin du passé roubaisien. Pas mal de photos violentes, des corps sortis du canal, étalés au pied d'un comptoir, des clichés d'identité judiciaire ou tout comme, des baraquements aussi, des sous-bois, des maisons de briques tristes, des lieux de crime, Abdel le parierait. Des mariages aussi, peut-être polonais, musulmans, avec des noires triomphales en boubou de fête et leurs époux sapés en milords, pas les gamins d'aujourd'hui, endimanchés, montés en graine, terrifiés d'en être déjà là de la vie. Pas des prises de vue officielles. Des instantanés chipés sur les marches de l'hôtel de ville, juste passé le coin de la rue, sur la place, des noces débandées, surprises de loin ou en gros plans, avec la panique dans les yeux noirs d'une épousée en robe meringuée, comme un gâteau sur ses formes pleines que tient solidement un barbu trop âgé pour faire un mari. Derrière, on voit des autos qu'Abdel a vues dans de vieux films, des tractions, des DS, ça il reconnaît, et des sortes d'américaines, des Simca aux pneus à flancs blancs. Souvent, comme dans les cadres affichés à l'étage du dessous, les cortèges à la dérive sont photographiés de dos, pareils pour des séries de passants portant des feutres, les dames avec des bas à couture sur les larges trottoirs qui montent à la gare, l'avenue était prospère alors, ou dans des cours de justice, Lille ou Roubaix. La jeune Yvonne montrait l'envers des êtres. Dans un deuxième carton Abdel trouve du fait divers, du tramway en perdition, un métallo occupé à ressouder un rail sous les yeux des voyageurs descendus, deux voitures, on n'en fabrique plus de ces marques, Abdel le jurerait, deux berlines encastrées l'une dans l'autre au bas d'un boulevard, à bien y regarder c'est en bas de chez lui, à l'angle inférieur du boulevard de Paris, là, s'il se penche par la fenêtre il peut presque apercevoir les lieux. Une femme à l'arrière-plan est assise de travers sur les marches de l'immeuble, sa jupe droite remontée bien haut, le sang d'une coupure à sa pommette se mêle à son rouge à lèvres et elle fait mauvais genre, ou bien elle est très séduisante, Abdel n'était pas né à l'époque. C'est terrible comme du Doisneau sans illusions, et qu'est-ce qu'on peut en tirer ? Yvonne a arrêté le temps en 62.

Abdel a cette pensée en même temps qu'il entend appeler d'en dessous, Zita c'est sa voix, Rosa répondre essoufflée à grimper vite d'en bas sur ses talons avec ses cartons de ravitaillement et Saïd, sa voix de fausset qui crie « oui » de sous les combles et trébuche, se ramasse, fait un bruit de séisme.

« Séisme », t'es un séisme ambulant Saïd, c'est le mot qu'il fait épeler à Abdel quand ils se lèchent les doigts des pizzas rapportées par Rosa. Avant, Saïd a eu le temps de mettre les pieds dans le plat, de jouer les demeurés exprès, Abdel n'en doute pas cette fois, en demandant laquelle, de Zita ou Rosa, Abdel préfère. Abdel se dit amoureux de « Rozita » et ils rient à postillonner des bouts d'anchois et de tomate. Zita, petite boule de fatigue en jean et débardeur noirs, crevée de sa journée chez *Repères*, pauses étriquées, courses entre des rayonnages immenses comme une ville hostile pour rassembler les commandes, pas de contacts humains, aucun conseil à donner à personne. Avec son diplôme des métiers du livre elle n'est même plus libraire, et se laisse aller à l'épaule d'Abdel. Ses parents à l'usine de tracteurs dans la banlieue de Tirana, à l'époque du tyran Hodja, c'était pas pire que le totalitarisme du capital. Rosa a les yeux vagues.

Et puis Zita se requinque, tâche d'expliquer le contenu de l'ordi, les fichiers. Les offices c'est une grille, une liste des parutions envoyées automatiquement par les éditeurs. Le libraire la compose avec les représentants. Deux exemplaires de chaque parution. La plupart du temps,

20 % des titres, les plus populaires, produisent 80 % du chiffre d'affaires. Les mémoires d'un présentateur de JT, un roman d'amour écrit par une actrice illettrée, les confessions de la maîtresse d'un homme politique, le pire des polars américains, et du cul sous cellophane... Des textes souvent écrits par des nègres ? Yvonne le disait, oui, avec du mépris. Elle prenait le minimum de tous ces titres grand public. Deux exemplaires. Même les livres pilotés elle les mettait au rancart, ceux dont le distributeur impose un nombre d'exemplaires sans rapport avec les offices et qu'il faut bien vendre, quelle que soit la qualité d'écriture... Le cancer si pathétique de maman, rien à foutre, *La Montagne magique*, Thomas Mann, c'est mieux. Vous connaissez ? Les cafards comme métaphore de l'humanité, ouais, relisez plutôt Kafka... Tu me crois ou pas, elle disait ça aux clients et ne déballait pas les cartons de cancers ou de cafards. Forcément, c'est lourd pour le budget. Regarde cette ligne, et celle-là, tu les connais ces bouquins, la télé n'a parlé que d'eux, et les auteurs pareil, tu les as vus mille fois... Ils passent bien à l'écran. Et elle les vendait pas, disait aux clients qu'elle était en rupture. Moi j'en ai lu, certains sont pas si mal, mais elle était butée Yvonne. En plus l'autre, Olivier machin, tu vois qui, mais si, jamais rasé, un brun à boucles, il raconte des passions dans des domaines de vignes, des palaces, eh ben ça existe, ça fait rêver, en plus les scènes de sexe dans les bureaux, les autos, ils font pas semblant les personnages, houlàlà ! Moi c'est quand il veut. Aujourd'hui un bon écrivain doit être beau. Évidemment, Yvonne et la bagatelle, ça faisait deux !

Abdel pense furtivement à ses dentelles clandestines, quand même une énigme, écoute Zita poursuivre, bref,

Yvonne ne comptait que sur une clientèle avertie. Donc sur 20 % de son chiffre potentiel. Regarde ses commandes hors offices : des romans hongrois, italiens... les polars suédois, elle admettait... les français qu'elle prenait par dix, tous elle essayait de les refiler aux petites dames qui venaient demander un roman avec du cul dedans, tu sais le gris nuancé, les bâtards du sexe, mais tintin, elles en voulaient pas de Claudel, de Martinez, Chalandon, Garat, du coup elles achetaient rien... Tu les connais toi, ces écrivains ?

– Oui.

Oui, Abdel connaît, ils sont remarquables, des auteurs importants, qui prennent le monde dans le filet des mots, c'est son métier n'est-ce pas, de peser les destins littéraires. Il essaie de convaincre son petit peuple d'élèves de les lire. Sans beaucoup de succès non plus. C'est vrai. La culture n'est même plus un lieu d'affrontement social ou ethnique. Chacun chez soi, à sa place vide. Et Zita termine son petit cours rapide : les livraisons, il faut les payer tout de suite mais si on renvoie, le remboursement est à 90 jours ! À condition de retourner les colis avant un an. Et Yvonne ne daignait même pas s'occuper des retours. Alors à force de mépriser ce qui se vend, on ne vend même plus ce qu'on aime, voilà ce qu'elle pense Zita ! Elle a les yeux morts, comme autrefois une ouvrière épuisée de piétiner devant sa machine textile. Elle finit le verre d'eau d'Abdel, rajuste les bretelles de son débardeur. Si on a encore besoin, qu'elle aide pour l'état des stocks, remettre la compta d'aplomb, n'importe quoi, Abdel n'a qu'à appeler. Tiens, mieux que ça... Elle a sorti de son sac une clé USB, manipule la souris sans même s'asseoir, questionne Abdel sans quitter l'écran des yeux : finalement, il reprend le fonds, les murs, et il vend l'appartement, c'est ça ?

– Oui. Une fois la succession rendue officielle.

Eh ben bon courage, tu vas bouffer tes culottes ! Mais elle va lui trouver le guide des aides aux librairies. Et lui mettre tout au propre sur cette clé USB, qu'il puisse transférer sur son propre ordi. Et pour l'appartement à vendre elle fait circuler, sans prix annoncé, à négocier. Et Zita débranche la clé, ça suffit pour l'instant, et s'en va, à bientôt tout le monde.

Rosa s'est tue tout le temps. En retrait. Jalouse de Zita ? Abdel ne peut pas le croire… Encore que Zita, son odeur de travailleuse, son débraillé, ses abandons à son épaule, Abdel n'y est pas insensible. Saïd est remonté continuer son tri. On l'entend encore traîner des cartons, et son pas déglingué fait penser Abdel à celui de Long John, dans *L'Île au trésor*.

En fin d'après-midi, ils y voient encore moins clair que le matin. Abdel et Rosa ont contemplé le stock de livres dans la resserre du bas comme on se recueille devant un monument anonyme, sans s'attarder. Surtout, une fois remontés, ils se sont attachés à séparer la paperasse, les archives, du legs photographique qui leur semble être l'écho d'un conflit lointain, comme l'onde provoquée par une pierre violemment jetée en eau calme, dans une région où la communauté algérienne reproduit les derniers affrontements de là-bas, plus insoutenables peut-être à cause de l'étroitesse du champ de bataille et des liens entre les ennemis. Une guerre fratricide pour la possession d'un sol idéalisé par la distance.

Saïd a aidé et encombré Abdel et Rosa. Il allait sa

lenteur hors du temps, murmurait aux clichés, sollicitait l'accord des disparus pour mettre en cause une coupure de presse, Ça, là, tu sais bien Nacer, tu es commandant de la Wilaya du Nord, ton frère Aziz t'a dénoncé à la Sûreté, il est du MNA tu le sais, du groupe de choc, il veut ta mort! Et te voilà couché dans ton baraquement... Où? Pont-de-la-Deûle... Et ainsi de suite, avec une étonnante connaissance des appartenances politiques il ramenait en désordre le gâchis, les vieux règlements de comptes, la réalité tragique d'avant la fabrication du mythe mensonger et unique d'une Algérie unie pour son indépendance sous la seule bannière du FLN. En même temps, jamais il ne perdait la conscience d'alentour, du travail de tri. Vanné et stoïque, simplement il aurait voulu un thé. Il a fini par hisser un dernier carton de factures sur d'autres entassés là-haut dans la touffeur dégueu de la soupente et par s'y appuyer, tout son poids plume sur sa jambe valide, dépité à sa manière fataliste, aucune aigreur envers le triste train des choses.

– Pas encore trouvé les photos du tabac de la rue Monge. Quand Georges et moi on nous a tiré dessus. Un dimanche. Elle est venue tout de suite, Madame Yvonne. Pas à cause de Georges, comment elle aurait su, elle est venue avec un journaliste... Elle avait son appareil, elle me l'a dit mais jamais voulu montrer les photos. C'est pour ça, je voudrais les retrouver. J'ai pas vu, on me soignait, je saignais beaucoup, mais crier oui, je l'ai entendue...

Il respire large, au bord du soupir, du beau temps de sociétaire. Abdel et Rosa, tacitement, le laissent installer sa parole de conteur simple, de modeste témoin des zincs, ils ont repoussé la fenêtre contre la rage des moteurs, dehors, regardent dans les yeux au bleu passé de Saïd.

– … À l'époque tous les cafés des Algériens, à l'Épeule, à la Potennerie, tu savais d'avance si tu pouvais entrer si tu donnais ta cotisation au FLN ou au MNA. Acheter des cigarettes, jouer au tiercé, regarder le foot sur la grosse télé suspendue, c'était permis pour tous, mais boire un thé, non… Ou alors accompagné d'un Français. Un d'ici. Et Georges faisait l'écrivain public de temps en temps. J'allais avec lui en plus que je faisais les vitres dans des usines que je rencontrais des Algériens ouvriers dedans, la Lainière, Masurel, les peignages, les tissages, les filatures… Des fois je les écoutais, ils me voyaient même pas, j'étais encore trop jeune, ils pensaient ça… Mais Georges il m'a appris à lire et écrire ! Et il faisait l'écrivain public dans les cafés, les lettres pour là-bas, les papiers pour ici… Ah : pas de femmes dans les cafés, les hommes étaient seuls, les femmes au pays… Elles sont venues plus tard…

– Le regroupement familial, début des années 70.

Rosa l'a murmuré à part elle. Saïd approuve.

– Voilà, on n'était pas regroupés. Pas de femmes. Seulement quelques-unes de harkis. Ils habitaient pas toujours dans les mêmes quartiers, ou alors dans les anciennes courées, séparés. Les pires logements ils les prenaient. Nous, on n'aurait jamais voulu être leurs voisins. Les courées elles sont restées longtemps à cause d'eux. On n'a pas construit des maisons neuves à cause d'eux. Cinq mille. Ils étaient beaucoup au chômage. Et venir discuter politique au café ils auraient pas osé. Nous, on avait du travail, le textile, mais on était seuls, pas de famille, ou quelquefois des frères. La maison, c'était le café. Moi j'ai fait toutes mes années dans les équipes de nettoyage des usines, les ateliers, pas trop les bureaux, mais les commerces oui…

– Et ce jour-là ?

– Au tabac ? Monsieur Georges écrivait des dossiers pour ceux qui signaient d'une croix. J'avais peur parce qu'on appelait la rue Monge « la rue de la peur »… La vraie raison je sais pas. Tout le monde était MNA, ou FLN, je sais plus bien…

Abdel glisse sa question dans la respiration de Saïd :

– Et toi ?

– Rien. Musulman, un peu. Moi j'avais les noms, je notais, j'aidais Georges à remplir, je recopiais, alors je recopiais aussi dans mon cahier. Parce que tout le monde était mon ami. Surtout les supporters du LOSC.

– Mais pas ceux qui vous ont mitraillés. On a trouvé les coupables ?

– Non. On a dit ceux pour l'Algérie française. Ou bien le FLN, parce qu'on était chez les messalistes. Tu sais, il fallait les tuer tous, et tous les harkis aussi. Alors nous, on était à bien écrire une demande de logement et c'était un soleil bas, le bruit de la porte un grand coup de pied dedans, j'ai levé la tête, rien vu, ébloui, et le soleil a explosé, des balles partout, des rafales comme une grêle sur la vigne, moi j'étais tombé en arrière, il y a eu le bruit du silence, ssss, comme ça, qu'on n'y croit pas à la tuerie, et les cris tout de suite, on courait dans la rue, et on me porte sur une table, Georges, t'es où Georges ? Monsieur Abdel je peux plus raconter, après c'est le chagrin de Madame Yvonne mais moi je sais lire et écrire.

– Combien de victimes ? Il y avait d'autres clients ?

– Georges, c'est tout. Et moi blessé. Il était plein le café : un dimanche de tiercé.

Abdel hoche la tête, alors on a juste cherché à tuer Georges, éliminer un sympathisant de l'indépendance, un ami des immigrés. L'affaire pue l'attentat ordonné par l'OAS, plus que par le FLN. Est-ce vraisemblable, il l'ignore. Seule compte au fond la barbarie reconquise. Lui reviennent les larmes de sa mère rien qu'à l'idée de cette guerre qu'elle n'avait pas vécue ici, entre bannis et exilés, où les harkis étaient les seuls non violents. Eux qu'avant de se marier, de redevenir française, elle avait vus exécutés joyeusement par les nouveaux maîtres de l'Algérie, eux qu'on comparait déjà, avant Bouteflika, aux collabos avec les nazis.

– Tu as eu de la chance, Saïd. Et rien n'est de ta faute. Les photos tu les trouveras, je te préviendrai du jour où on finit le tri.

Rosa s'est levée la première du canapé écorné, ses talons claquent dans l'escalier, curieux ce mutisme, cette distance alors qu'elle ne connaissait pas Yvonne, Abdel éteint l'ordinateur, Saïd renfile sa veste, la boutonne, la chemise aussi, jusqu'au col, hop, son porte-documents sous le bras, et on est en bas, on boucle. Rosa est venue en métro, son Alfa déconne, elle montre le trousseau inutile, elle garde cette auto à cause de l'écusson, le serpent, la croix, genre insigne de militaire à parfum de sable chaud, elle déteste, Abdel a sa voiture et Saïd va claudiquer jusqu'au cul de l'église Saint-Martin, traverser le désert de la Grand-Place, écouter bavarder les vieilles âmes qui s'y promènent encore, des disparus qu'il est seul à entendre dans cette ville en haillons superbes. Ensuite, lui, le gamin de Petite Kabylie avec tout l'infini de la plaine d'Annaba dans la mémoire, il ira grignoter le reste du jour dans son gourbi sans horizon à lire un journal gratuit, ou *L'Équipe* d'hier piquée au bistrot, et noter des mots dans ses cahiers. Peut-être à briquer sa Vespa garée dans le vestibule. Tout à coup Abdel a envie de les voir, ces listes, les mots et les noms. Plus tard, il faudra bien.

VI

L'apéritif, Abdel le prend avec Rosa dans le jardin hirsute de la grande maison, au bord de Tourcoing. Abdel a mené sa petite Clio à travers des quartiers autrefois ouvriers, interlopes, d'habitat séculaire à l'agonie, à économie parallèle, avec mille petits commerces de débrouille, où croisent des autos hors de prix, où paradent des filles et des types dorés sur tranche, où toute librairie serait un casus belli. Seules les poussettes des trop jeunes mères provoquent des encombrements. Tous deux n'ont pas commenté, ils savent les trafics, l'islamogangstérisme souterrain et puissant, et le grand banditisme, la délinquance nue, sans idéologie aucune, le territoire dont on dit qu'il ne s'est pas remis de la guerre des cafés, avec pourtant, comme un défi, le Centre Chorégraphique National respecté parce que réputé pas dangereux. Danser ne serait pas penser. Et ici penser est une faute, un oubli de l'instinct de survie. Ça, Rosa l'a murmuré, et puis s'est demandé : est-ce que l'illettrisme a diminué depuis Yvonne et ses parents ? Abdel a souri sans montrer les dents. Ici à Roubaix, les premiers travailleurs polonais ont apporté le raifort qui pousse aux trottoirs, les balles de laine ont transporté depuis la Chine, l'Australie et la

Nouvelle-Zélande des graines qui ont germé sur les toits de tourbe des usines. Après la mort du textile, l'effondrement de la vente par correspondance, ces mauvaises herbes ont demeuré, acclimatées. C'est elles qu'il faut cultiver.

Là, ils ont piétiné la savane de l'été débutant, récuré rapide un salon en teck brûlé d'années et ouvert un petit chablis. Le jardin tout en longueur est clos de hauts murs, la terrasse de plain-pied avec l'enfilade salon-salle à manger de ces demeures en bel-étage pour directeurs de filatures du temps des filatures, et puis on descend par une volée de marches au béton craquelé vers des herbes folles, des rosiers retournés églantiers. Rosa en a conduit la visite vite fait sur les lisières encore à peu près domestiques, on s'est éraflé le jean à des ronces et on a renoncé à aller jusqu'au mur du fond. À la place, après le premier verre bien frais, Rosa la blonde a ôté son blouson, allongé les jambes sur une chaise grise, et offre le visage et le décolleté incorrect de son T-shirt au couchant, paupières closes sous ses Ray-Ban. À la place de l'exploration végétale Abdel demande à voir où on pourrait entreposer ce qu'il appelle «le fonds Lepage», le travail d'Yvonne. Il sent bien le petit dépit de Rosa, il aurait dû saisir l'occasion du marivaudage, de ses questions faussement anodines, juste préludes à caresses: est-ce que statutairement il peut être à la fois libraire et prof, il ne lui faudrait pas une employée, une épouse, même juste une maîtresse-gérante, pourquoi pas redébaucher Zita qui lui mangerait dans la main, voire ailleurs? Tout le puschi-pushi érotique à peine déguisé de Rosa jusqu'au moment où elle ne résiste plus, se lève à demi, putain je vais te l'embrasser Abdel qu'il croira se faire avaler par Moby

Dick, et il devine l'élan du corps, mais il n'est pas prêt, après il se promet après, alors il la devance, est debout avant elle.

– Bonne idée de me montrer où on pourra stocker Yvonne, j'allais te le demander !

Et il est déjà sur le seuil de l'immense living traversant, assez désert, quelques meubles de brocante sans unité de style hérités de papa Maître Alfieri, rien de contemporain, pas son Ikea rigoureux à lui. Je me permets ? Il grimpe déjà et c'est elle qui le suit à l'étage, lui dit mollement de continuer jusqu'au palier du second, Mais tu ne verras rien, il y a toute la place nécessaire... Brève halte au premier où Rosa referme vite les portes, Fais pas attention au désordre, sur sa chambre chiffonnée où traîne du linge, son bureau en apocalypse de dossiers, la salle de bains carrelée de faïence ancienne, écrue, et ses insolences de dentelles à sécher au-dessus de la baignoire.

Abdel obéit, reprend l'ascension, fait celui qui n'a rien vu, pourtant il a identifié sur des étagères de la chambre quelques volumes habillés de la toute vieille jaquette offerte par Yvonne, autrefois, aux temps glorieux des librairies reconnaissable à sa couleur turquoise barrée d'une plume rouge... Elle en habillait les volumes soldés. Menteuse de Rosa qui affecte de ne guère fréquenter la librairie ! Avec l'idée aussi, conforté par cette cachotterie, de se laisser un peu faire, après, offrir à Rosa l'impression de décider des plaisirs, s'abandonner à ses caprices, merde, faire le coq en pâte, il en a envie à crever mais d'abord régler le trivial, et elle le dépasse sur les dernières marches, Viens, c'est là, deux pièces communicantes sur l'arrière, quatre fenêtres dans le retour du toit et uniquement des rayonnages métalliques où reste de l'espace malgré des dossiers empilés à la va comme je te pousse. Pas entièrement classés mais les inscriptions au dos renvoient essentiellement à des affaires plaidées par son père. Ici et là des vides dans l'ordre chronologique et des cartons sans intitulé, bourrés à éclater et ficelés. La chaleur énerve l'odeur de grenier abandonné mais la poussière du plancher conserve des traces de pas récents. Rosa a tâché de réorganiser pour accueillir les archives d'Yvonne, comme promis.

– Le bureau de papa, là où il recevait ses clients, c'était en bas, à l'entresol. J'en ai fait une salle de télé, que je ne regarde jamais.

Elle est restée sur le seuil, éponge la sueur entre ses seins avec son T-shirt, naturelle, pas d'ambiguïté dans son geste, pendant qu'il lit les noms des procès, la tête penchée pour déchiffrer les mentions verticales. Les patronymes renvoient à des rapatriés de façon parfois évidente : Hernandez, Zitoun... À des immigrés aussi. Kabyles ? Abdel n'en sait rien, sa mère refusait de lui parler d'avant, de l'Algérie, il devait être un Français d'ici, ne même jamais faire le voyage, ni rencontrer la maigre famille au pays, se souiller d'une chose morte. Elle disait, Mon pays est un grand cadavre.

Abdel touche de la main les cartons ficelés, sans aucune mention, et finit par s'arrêter devant une fenêtre d'où il voit, par-dessus les massifs en friche, tout l'échevelé du jardin, le mur de fond avec une sorte d'incinérateur improvisé dans un baril rouillé, entre trois murets qui empêchent des tas de papiers de s'envoler. À bien accommoder sa vision Abdel reconnaît des cartons semblables à ceux qui attendent ici, des liasses aux chemises colorées aussi. Pourquoi se débarrasser juste ces jours-ci, en urgence, de souvenirs pas si encombrants jusque-là, conservés pour leur valeur sentimentale ou par paresse? La maison peut abriter sans dommage la paperasse d'un gros cabinet d'avocats. Alors trois dossiers de plus ou de moins juste pour faire place à Yvonne…

– Qu'est-ce que tu brûles là-bas? Les archives de ton père?

Rosa est derrière lui, elle a posé sa joue entre les épaules d'Abdel, passé ses bras autour de lui, les paumes contre sa poitrine, il sent à travers la minceur de sa chemise tout le chaud de son corps et toute sa chair sans mystère. À peine s'il l'entend répondre parce qu'elle lui mordille en même temps la nuque.

– Ma mémoire. Pas celle de mon père. La mienne.

Et Abdel la sent menteuse, gamine prise en défaut, pleine de culpabilité, cet autodafé elle s'y est résolue à contrecœur, elle espérait le garder secret et cette comédie de la caresse est pour distraire l'attention, Abdel le sent. Et il s'échappe, redescend quatre à quatre, elle appelle derrière lui, Où tu vas, non Abdel, non, et il court au jardin, s'égratigne, foule des plantes montées en graine, bouscule de la rose trémière, et le voilà à l'incinérateur, parmi le fouillis de papiers. Il ramasse à pleines poignées les feuillets abîmés de rosée, collés d'avoir séché après les récentes pluies d'été, des comptes-rendus, des minutes de procès pour menées terroristes, des pages de journaux, un article sur Drancy, le camp de Drancy quel rapport avec les années 60 où Alfieri est avocat après son service militaire? Abdel n'a pas le temps de lire, Rosa est arrivée, hors d'haleine, lui arrache les papiers des mains et sa voix est blanche:

– Ne t'en mêle pas... Rien à voir avec ta librairie... Je me débarrasse de ce qui n'a aucune importance...

– Alors pourquoi tu ne veux pas me montrer, pourquoi t'es aux cent coups, tu caches quoi?

Abdel s'obstine, sale gosse, joue à mettre les documents hors de portée de Rosa, derrière son dos, à bout de bras, comme un matador débutant devant un petit taureau brouillon... Rosa paraît se prêter un peu au jeu, demi-sourire et voix rigolarde, Allez, arrête, t'es pas drôle, c'est pas tes oignons, reviens, le chablis va tiédir, et soudain elle lui balance une taloche à tuer qui immobilise la scène une seconde. Abdel porte la main à sa pommette gauche, bien sûr la bague de Rosa l'a coupé, il sent le chaud du sang, cherche un mouchoir, le presse sur la plaie sans quitter des yeux Rosa qui a les mains aux joues, écarquillée, elle ne voulait pas, pardon! Et Abdel est déjà loin, il a laissé tomber les papiers qu'il brandissait, retraverse le jardin, la maison, sort, sans précipitation, Rosa ne le poursuit pas, sa voiture, contact, le sang lui coule dans le col de chemise, merde, c'est quoi ce geste, la passion façon Stendhal, Julien et Mathilde prêts à s'étriper d'amour? Et là il revoit clairement le titre sur une autre des coupures qu'il a chiffonnées et abandonnées, « Maître Alfieri se prépare à défendre un tueur de l'OAS ».

VII

Pour Abdel, une grosse semaine glisse en douce à cheval sur juin et juillet, pleine de quotidien, d'oraux de baccalauréat, de regards chaque matin sur les points de suture à sa joue et de dépit que Rosa ne se manifeste pas. Pas du dépit amoureux, il pense que non. Peut-être que si quand même. Déjà partie pour l'été si ça se trouve. Le docteur Hermant a bien ri, Abdel, tailladé ainsi, fait étudiant allemand d'un autre siècle. Par association d'idées antinomiques, allemands/aristocrates, Abdel a repensé à Drancy, le camp de regroupement des juifs français avant leur déportation par les nazis, et s'est dit que Rosa voulait brûler un article à ce propos. Et après ?

Le premier jour des vacances, le premier où il peut retourner à la librairie, tâcher de finir d'y voir clair avec l'aide de Saïd, le vieux monsieur du cimetière, buste de catcheur et tête d'émir de carte postale, l'« obligé » d'Yvonne, lui donne la solution. En réaction à l'hostilité de Saïd, qui tient ses listes à jour et a livré son nom, Youssef Zerouane, harki, un traître, et on ne parle pas aux traîtres. Traîtres à qui, Saïd ? Le FLN tout neuf n'a pas trahi le MNA des origines et Messali Hadj ? La barbarie, la torture, l'inhumanité, tous les camps y ont eu recours... Pas de manichéisme. Tu sais ce qu'on va faire, Saïd?

On est en bas, Abdel voudrait que Saïd compare la réalité des stocks à leur existence virtuelle sur informatique. Là-haut, il va s'attarder sur des clichés, se jouer la *nekuomanteia*, la consultation des morts, et on n'est pas au bout! Allez hop, «*nekuomanteia*», tu le notes dans ton cahier, «manichéisme» aussi, et tu fais le relevé des cartons entreposés... Tu sais lire et écrire, non?

Quelqu'un verse du soleil liquide sur la ville et une chaleur inhabituelle, à goût de bitume bouillant, s'en répand jusqu'à la librairie et Saïd ôte sa veste, D'accord, Monsieur Abdel. Zerouane arrive là-dessus, les sangs sont à température, vif échange de civilités, Saïd fait sa déclaration au traître, Abdel tâche de calmer le conflit, vont pas se foutre sur la gueule les pépés quand même, et Zerouane dit que Drancy a été utilisé à nouveau quand les harkis sont arrivés d'Algérie, avant de les répartir dans les départements du Nord. Les juifs qui ont connu le même sort, c'était des traîtres? Il en parle sans amertume comme d'une péripétie désagréable, l'endroit où il a eu confirmation d'être un banni, que tout retour au pays lui était interdit, qu'il ne serait pas enterré en terre algérienne, Abdel voit l'épisode, le souvenir de la collaboration comme un motif de honte et puis Saïd est pire sectaire que les vieux indépendantistes.

– Arrête maintenant Saïd! Yvonne a travaillé avec M. Zerouane, l'a aidé, tu te prends pour qui de penser qu'elle s'est trompée?

Saïd pince les lèvres et, presque pas bancroche, il le fait remarquer, le temps est sec, sa blessure ancienne est indolore, allume les néons de la resserre, ouvre la porte de service au fond, sur la ruelle derrière, pour quand même avoir de l'air. Et travailler dans la caverne de livres, lui l'homme des grands espaces.

Abdel et Zerouane sont montés dans le living encore encombré, à la demande de Zerouane. Voilà, il a appris que l'appartement serait en vente.

– Effectivement, pour assurer les frais de succession. Sinon je ne peux pas reprendre la librairie…

Zerouane promène sa stature d'hercule forain parmi le fatras, se penche dans l'escalier vers l'étage, est-ce qu'il peut ? Parce que peut-être : son association cherche un local et un membre qui a bien réussi dans le discount des matériaux de construction serait prêt à investir. Alors Abdel fait visiter, referme au passage des cartons de clichés sur lesquels Zerouane laisse traîner son regard.

– La photo, Madame Yvonne a laissé tomber. Pour aider. Vous allez faire comme elle ? La lecture, l'écriture ? Parce qu'on est encore beaucoup qui sont descendus des bateaux et qu'on a travaillé à quatorze ans dans les usines, malgré qu'on était analphabètes, pour que les patrons peuvent faire tourner les machines sans arrêt, les trois huit…

– Officiellement, un quart de la population de la région écrit et lit difficilement, je sais. Pas forcément les plus vieux ni les immigrés. Même au lycée… C'est la réaction « à quoi ça sert ? ». Mais je reprends une librairie, pas une école.

– Moi j'ai appris à lire avec ma fille. Elle est ingénieur de travaux publics. Un métier d'homme. Quand on a débarqué, Monsieur Georges m'a rempli les papiers, à ma place. Et j'avais honte. Je suis revenu quand j'étais capable de seulement demander le conseil et d'écrire moi.

Mais il était mort à ce moment-là... Madame Yvonne m'a aidé.

Ils déambulent dans l'étuve de l'appartement, traversent la chambre où Rosa a entreposé les ballots ficelés, de vêtements, de linge de maison. La lingerie légère qui traîne encore sur la commode, Abdel l'escamote mais Zerouane a vu, regarde ailleurs, pudique, et le silence est si abrupt qu'il faut changer le terrain du propos, fuir.

– Monsieur Zerouane, le handicap est désormais aussi humain qu'intellectuel...

Abdel a l'impression d'une prise de parole dans ces séminaires rectoraux aux constats désespérants mais où on se fait plaisir grave à jargonner entre nantis. Et il est sur le cul que Zerouane poursuive à sa place, cette espèce de lutteur de l'Atlas au regard calme, avec son langage à lui :

– Les parents qui sont tout seuls, pas bien dans la société, RMI, RSA et compagnie, sans le sou, ils ont tendance à oublier leurs enfants. Tout le monde, pas que les immigrés, s'occupe de sa personne, pas des autres, même pas de ses petits. Ça s'appelle la misère, monsieur. Et c'est des catastrophes à venir, pas d'études, pas de boulot pour les gamins ni les parents, pas de bonheur. Sauf la télé. Mais personne baisse les bras : on n'a plus que de la mémoire, on est des gens sans destin écrit d'avance. Et même si on avait : on est illettrés, on saurait pas le lire...

Il a un rapide hoquet de rire, sans joie véritable. Abdel devine que le jeu verbal est le préféré de Youssef qui adoucit ainsi son constat. Pas de misérabilisme sinon on crève, le vieil homme a bien saisi cette seule condition.

– ... Mais par la culture, l'expression artistique, c'est des grands mots, faire parler, amener à écrire, à raconter, ensemble, souvent la mère et le petit, la gamine, les retirer des foyers, des fois le père, c'est bien de rêver si on peut ramener le père aussi, on refait une famille, ils sont ensemble. Et on peut regarder plus loin que la fin de la semaine. Et vous voyez, les photos de Madame Yvonne, avec celle-là des associations que je m'occupe, « Relier » elle s'appelle, on pourrait faire des ateliers, raconter la vie des gens qui sont dessus, l'inventer...

Zerouane a les yeux bien francs dans ceux d'Abdel, on est loin du peuple du lycée, même avec tout le chaotique familial de ses potaches, et Abdel, « relier » c'est bien, ça parle des gens et des livres qu'on « relie », qu'on « relit », Abdel tripote la lingerie d'Yvonne sans faire attention, s'en aperçoit, montre les pièces de soie fatiguée comme un lièvre ou un faisan après une battue, et on s'en fout des convenances, il demande tout à trac :

– Elle avait quelqu'un, Madame Yvonne, dans sa jeunesse ?

– Oh non, pas le temps ! Une fois, peut-être la première que je venais ici, avant la mort de son père, passé le coin du boulevard Lebas, je l'ai vue avec un homme. Elle a couru à lui. Je crois que ces grigris elle n'en avait pas besoin pour l'envoûter, il la serrait assez fort sans ça...

Abdel fait ah... en silence, bien avancé, enfourne la lingerie dans sa poche. Quand même, Yvonne a connu une idylle, et la chose a tourné court. Les mêmes hypothèses d'abandon, de décès prématuré d'un militaire reviennent. Peu importe. Zerouane vient de demander le prix de l'appartement.

– Je n'en sais rien, à vrai dire. Passez chez Maître Liévin, son étude est juste là, en face du *Mercure*...

Zerouane voit. Il va faire la démarche avec l'ami qui

a l'argent. Et le linge, les vêtements ? Il connaît à qui les donner, des femmes qui font du neuf avec du vieux, des toutes jeunes avec de l'imagination et du courage. Elles créent des tenues que tu peux pas savoir. Les draps, les nappes, on donne à des miséreux... Elles continuent la tradition textile de Roubaix, elles méritent. Voilà déjà une chose conclue, Zerouane a une camionnette, on convient d'un moment et il enlève le tout. Et son projet pour les photos ?

– On verra, les photos on verra...

Abdel n'a pas le temps d'en dire plus, Saïd sort de la bouche sombre de l'escalier, comment il a fait pour empêcher le bruit de sa patte folle.

– Madame Yvonne m'a promis que je pourrais avoir celles que je connais les noms des gens dessus.

Abdel connaît son Saïd par cœur, sa tendance à conserver, s'adjuger ce qu'il sait en péril, y compris collectionner les âmes mortes, comme Tchitchikov dans le roman de Gogol. Et on peut exploiter cette manie dans l'atelier souhaité par Zerouane, ouais, pas stupide ce projet à la librairie, si elle se spécialise dans ce qui touche à la photo, l'audiovisuel.

– Une promesse est une promesse. Tu en as déjà mis de côté ? Fais voir...

Bien sûr que Saïd en a déjà tout un carton qu'il ouvre, où il commence de puiser avec des gestes lents de défi pour Zerouane, il aligne des clichés sur le bord de la table, des hommes et des femmes en noir et blanc, de trois quarts dos la plupart du temps, voire totalement, uniquement des types méditerranéens, les autres origines il les a écartées. Celui-ci, une fine moustache en pardessus, presque chauve, une serviette sous le bras, cigarette aux lèvres dont la fumée tourmentée semble écrire la légende en lettres arabes.

– Début de la rue Pierre-de-Roubaix, pas loin du canal. Nabil Tayeb. Il récolte l'argent pour le FLN. Rentré en Algérie…

Une autre, puis une autre, chaque fois identifiée de cette voix récurée à l'os, détimbrée, et voici un jeune type qui traverse la Grand-Place, on voit très bien les trams de l'époque à l'arrêt en épi derrière lui, l'*Hôtel de France* et Saint-Martin, l'église. Saïd se tait, panique à en suer, l'œil affolé, voit Zerouane se détourner, plus du tout fasciné, dit très vite :

– Rachid Mekloufi ! J'ai retrouvé, c'est Rachid Mekloufi, j'ai tous les noms !

Abdel ramasse les clichés comme on rafle un pli dans une partie de cartes, les remet dans le carton.

– J'ai une proposition, Saïd, si M. Zerouane veut bien : avec tous ces gens que tu connaissais, tous tes souvenirs, et puis les mots de tes cahiers, tu pourrais aider à écrire des histoires ensemble les gens, les papas, les mamans et les enfants de toutes les origines qui ne s'aiment plus et qui viendraient ici, dans l'association de M. Zerouane ? Ils imaginent, ils inventent d'après les photos d'Yvonne… Toi, après tu dis la vérité, tu l'écris avec eux pour mélanger les deux… Et dans ces histoires, il n'y aurait peut-être plus de traîtres, plus d'assassins, plus de victimes, rien que des êtres humains qui se débrouillent avec la vie ? Ce serait bien, tu serais le maître d'école un peu. Grâce à toi, des familles s'aimeraient.

Zerouane regarde Abdel, bat une fois des paupières, ouvre la bouche et puis non, se ravise, suffit qu'Abdel reprenne au vol son projet de réconciliation familiale, l'idée de conjurer par du passé fictif un présent insupportable, la solitude à mort. Saïd s'est pétrifié, la ride toute contractée, les mains ouvertes sur le carton, on dirait qu'il impose les mains sur un malade condamné. Et puis il soulage le poids de son corps sur sa jambe valide.

– D'accord.

VIII

On approche de milieu juillet, les flonflons du 14, Abdel a terminé le tri à la librairie. Youssef a appelé, demain il vient chercher les ballots de vêtements, une proposition de prix d'achat sera bientôt faite à Maître Liévin pour l'appartement. Ces derniers jours, Saïd, le maniaque des listes, a fini de contrôler le stock, coché sur les liasses sorties de l'imprimante les volumes effectivement présents. Certains titres sentent le soufre ou le moisi, le passé de mode. Qu'est-ce que ça vaut le *Rigodon* de Céline dans l'édition originale, et un Cesbron ? Qui se souvient de Gilbert Cesbron et de ses chiens perdus ? Évaluer avant d'écouler en priorité, faire de la place. Là, Abdel en fait chez lui, de la place. Sans nouvelles de Rosa, pour accueillir les dossiers essentiels qui ne peuvent rester dans l'appartement ni dans la resserre, les cartons de photos négligés par Saïd, il libère un pan d'étagères dans le living de son F2. Les bouquins choisis pour l'exil vont dans la chambre, sous le lit. Pas d'autre solution vu le peu de meubles à part les bibliothèques qui couvrent les murs, à peine un canapé rouge, un bureau avec le Mac portable, deux tabourets hauts devant le comptoir de la cuisine américaine, une seule photo des parents, entre deux fenêtres, le jour de leur mariage près d'Oran, parce que fallait des couilles, pas d'autre solution de « rangeage » vu l'exiguïté des lieux, au cinquième et dernier étage-étuve d'un immeuble Art déco, tout en bas du boulevard De Gaulle, autrefois « de Paris », Saïd ne dit jamais autrement, de Gaulle est le traître qui a rendu pouvoir de mort à Papon, après les juifs déportés les Algériens jetés à la Seine en octobre 61, les harkis formés en milice parisienne à calot bleu contre leurs frères. De Gaulle est un harki pour Saïd. Et sur ce boulevard, les belles maisons démolies c'est aussi une trahison, voilà ! Dans cet immeuble-ci, s'en fout du nom du boulevard, l'isolation est idéale comme le paletot de Rimbaud, pense Abdel, et, torse nu, il transpire à avoir des accroche-cœurs blonds collés sur le front. Bien sûr il ne peut s'empêcher de picorer dans les livres qu'il déplace, exile, et quand il ouvre à Zita, il tient *Un roi sans divertissement*, Giono, ouvert sur la dernière page. Elle est dans l'embrasure, souffle court des escaliers, son visage de brunette hardie giflé du couchant orange et tout son mascara balayé de sueur. La bandoulière de son gros sac passée en travers de la poitrine accentue le décolleté de son T-shirt blanc plus très net et elle reprend haleine, pas gênée du débraillé, mains aux hanches, mon salaud tu me la copieras d'habiter si haut sans ascenseur. Ni bonjour ni rien, elle pointe le menton vers le livre, C'est quoi ? Abdel lit, la voix râpeuse de n'avoir pas parlé depuis la veille :

– « ... il y eut, au fond du jardin, l'énorme éclaboussement d'or... »

– Une scène d'amour torride ?

– Un type qui se fait exploser avec un cigare de dynamite.

Et il lui montre le titre quand elle passe devant lui, se débarrasse de son sac, se laisse tomber dans le canapé.

– Je ne suis pas loin de l'imiter, faire kamikaze chez *Repères* ! J'en peux plus !

Et elle le détaille des pieds à la tête, tout cru, usée de sa journée mais cet homme dans la chaleur, cet homme avec sa cicatrice encore fragile à la pommette, elle en ferme la paupière. Abdel s'en aperçoit, pense à Tennessee Williams, le sud sensuel des USA, une chatte et un toit brûlant. Pas prude mais quand même, il a attrapé une vague chemise, du lin lilas, l'enfile sur ses muscles d'échalas sans boutonner, devant le frigo.

– Tu veux une bière ?

Elle veut bien, sans verre, merci, le petit prolétariat se passe des fastes bourgeois. Et elle boit à lampées économes, entre ses doléances. Les liseuses d'abord, les tablettes de *Repères*, Yvonne a toujours refusé d'en vendre, pareil pour les livres électroniques. On numérise à tout va ! Selon des normes précises. Bientôt plus besoin d'éditeurs, de distributeurs, à peine des auteurs, et surtout pas de libraires ! Je parle à personne, j'exécute des commandes à chier ! T'es mal barré, mon Abdel : plus ton mot à dire. *Repères* met en ligne directement sur l'écran du lecteur ! Et les best-sellers programmés, ils les vendent hors offices AVANT leur sortie en librairie ! Plus d'intermédiaires, plus de conseil, la culture officielle sans concurrence ni contradiction ! On lira une offre unique. C'était pareil pour mes parents quand un livre arrivait dans les librairies vides de Tirana : on lisait celui-là ! Et on mangeait des oranges parce que c'était le seul fruit disponible. Dis donc, c'est chic chez toi, t'as les moyens…

– Pas voulu vivre dans la maison où j'ai grandi. Tout vendu pour acheter ici.

– T'as payé si cher ?

– Cher ? À Roubaix ? J'ai placé le minuscule reste du pécule. Au cas où. Heureusement : je vais en avoir besoin…

– Pour te marier ? Je plaisante. En tout cas ton appartement ressemble à la librairie : rien que des bouquins… Tu l'as fait exprès ?

– Les livres, c'est comme les chats, on habite chez eux, pas l'inverse.

Un instant, Zita reste bouche ouverte et puis soupire :

– Jamais vu un livre miauler. Enfin… Tu sais quoi, je prendrais bien une douche. Après on se fait le bilan et je t'explique les aides à la création, aux repreneurs d'entreprise culturelle, et cetera…

Abdel ne se voit pas refuser, Zita est déjà debout à s'essuyer le front en nage d'un revers de poignet, c'est par là ? Il se précipite, le linge sale dans la corbeille, merde les dentelles d'Yvonne rapportées de la librairie l'autre fois, hop dans sa poche, une serviette propre, lavande, lavande c'est joli, au bord du lavabo, madame peut se faire propre. Lui, va regarder les documents, la clé USB, qu'elle a sortis de son sac, allumer le Mac…

Et pendant les bruits d'eau, Zita qui chantonne sous la douche, il parcourt rapidement les imprimés, note que le Centre National du Livre octroie des subventions à la reprise d'une librairie indépendante, il peut aussi récupérer de l'argent d'un fonds d'intervention pour aménager ses locaux, les développer, une association peut prendre une participation dans le capital après expertise et diagnostic, un institut qui facilite l'accès au financement bancaire... Sur l'ordi, une fois transféré le contenu de la clé, il découvre un bilan financier, un état réel des relations avec éditeurs et distributeurs, des fichiers qu'il identifie mal, tout l'encadrement d'un projet de vente sur le net... Il tâche tout juste de comprendre, assis devant l'écran, et puis il entend le silence de la douche, sent l'odeur de son savon viril vendu en grandes surfaces pour ses vertus aphrodisiaques, à en éprouver une brève honte de se laver avec cette faute de goût, et Zita est penchée dans son dos, pose le menton sur son épaule, la joue contre la sienne, rafraîchie par ses cheveux humides, ses mains à sa nuque.

– Voilà, tu vois. Je t'ai installé une variante du système de vente par correspondance des grosses boîtes comme *Repères*. Tu vas les combattre avec leurs armes... Tout ton stock, on va l'évaluer et le mettre en ligne sur un site très joli... Faut séduire, Abdel...

– Tu parles de qui ?

– De tes vieux bouquins introuvables ailleurs, banane ! Tu vas les vendre à prix d'or !

– Sauf qu'on ne peut pas ravaler la gueule à Flaubert, il est laid, globuleux, Sartre, tu as vu cette grenouille bigle ? Je te parle pas de Colette sur la fin... Et maintenant on donne dans la sophistique, on confond le vrai et le beau, l'auteur et le texte. Tu me l'as confirmé : un type à tomber ne peut écrire qu'un best-seller, pareil une jolie fille... J'arrête pas d'avertir mes élèves, attention à la littérature Facebook, gueule d'amour... Tiens, les greluches de télé-réalité, *because* leur plastique c'est forcément des « auteuses » potentielles... Et un mec pas beau... Pardon, je radote... Paradoxalement, des nanas rescapées des prisons sud-américaines, des demi-mondaines en mal de footballeur qu'ont même pas écrit les reality-books qu'elles signent, on leur mitonne des rencontres pour écrivains alors qu'elles n'ont fait que vivre… Rien que vivre ! La librairie de grande distribution convoque les personnages vivants, pas les écrivains. Et elle façonne le goût du public. Il n'y reconnaît plus rien, n'est plus capable d'apprécier un texte à son poids véritable. Tout se vaut. Mes élèves confondent Véronique Genest et Jean Genet ! Les libraires ont une responsabilité civile, à eux de refuser la démagogie et le profit facile, pas possible de jouer les Ponce Pilate !

Et il attrape une main de Zita, qu'elle ne s'appuie plus sur lui, il veut la voir, lui attraper le regard, convaincre, laisse pivoter le fauteuil, et il est face à elle, pieds nus drapée dans la serviette de bain, débarrassée de ses chichis de maquillage, de son apparat de danseuse orientale, putain de Dieu, elle fait son effet, de quoi perdre le fil de ses emportements. Et elle, avec cette candeur roublarde des ingénues de boulevard :

– Quoi ?

– Quoi, quoi ? Ben, ces usurpateurs et ces marchands de livres nient l'imaginaire, la poétique, que la littérature est une cosmogonie, à chaque roman… C'est pas du Photomaton. Ta légitimité d'auteur dépendrait de ce que tu as vécu, de ce que tu as vu, à la limite… Sinon tu es suspect de mensonge. Alors être beau et avoir une bio agitée comme conditions du talent, j'avoue que… Tiens, toi, tu devrais raconter tes parents, comment ils ont fui l'Albanie.

– T'es en train de me dire que je suis sophistiquée ? Et que j'ai du vécu. Belle ET vraie ? Que donc je peux écrire, à moi la gloire ?

Elle n'a pas lâché sa main, debout devant lui, le considère de ses yeux noirs, mi-sérieuse, il va comprendre mon désir l'imbécile ? Et juste comme elle se penche l'embrasser, qu'Abdel se lève à demi lui cueillir les lèvres, Marivaux a ses limites, ding dong on sonne, et le charme s'évanouit, il se racle la gorge, va à la porte, déjà presque soulagé de ne pas se sentir obligé de l'embrasser, pardon Zita, même pas se demander qui peut bien… Et il ouvre sur Rosa, en petite robe d'été liberty à fines bretelles, talons hauts, une sauvageonne, une chevrière endimanchée, jamais vue si en frais Rosa, un classeur sous chaque bras, encombrée de son sac, son téléphone, un bouquet de clés, sourire de contrition, le regard immense, elle veut se glisser, entrer et elle voit Zita qui se rajuste la serviette de bain, minaudière comme une maîtresse royale surprise au petit lever, patatras. Scène de réconciliation annulée, Rosa affiche le rictus des dames quand les toilettes sont mal entretenues.

– À cause de toi de ta curiosité l'autre jour sur les dossiers que je brûlais j'ai fouillé vraiment à fond dans les archives de mon père je voulais te les montrer que tu comprennes mon attitude mais je te vois occupé bonjour Zita je te laisse le tout en fait je m'en fous de ton opinion il y a prescription même entre nous ta coupure ça va on t'a recousu ?

Débité à voix blanche sans points ni virgules et elle tend la main pour toucher la cicatrice, les classeurs lui échappent, tout son barda, elle rattrape son sac, des clés, abandonne le reste dans une sorte de sanglot. Salut Abdel, bonne soirée, amusez-vous bien. Une scène d'épouse trompée, Abdel en reste baba, Zita est allée regarder les titres des livres empilés qui partent dans le goulag de la chambre, sous le lit. Le bruit des talons monte en chamade de la cage d'escalier pleine d'échos, Abdel demeure un instant ballant, couillon en chemise déboutonnée de pue-la-sueur, ah merde, lui convoité par deux femmes on rigole, et puis il sort sur le palier, appelle Rosa par-dessus la rampe, Rosa, c'est pas du tout ce que tu, si bredouillé et interrompu que même Zita ne doit pas entendre. La porte d'entrée en bas claque, il connaît le bruit, alors il rentre ramasser les classeurs esquintés par leur chute, se contente de les pousser du pied. Un trousseau de clés est sous le plus déglingué. Pas celles de l'Alfa de Rosa, le porte-clés à l'écusson Abdel le connaît, celles de sa maison de maître.

Aussitôt Abdel se renfourne la chemise dans le pantalon, sa veste, elle est où sa veste, faut que je file chez Rosa, pendant que Zita se rhabille, renfile son jean, de dos, Yvonne aurait fait la photo de ses fesses, ses épaules de nageuse dodue, et son débardeur elle peut pas, trop crasseux, alors elle voudrait bien quelque chose de propre, S'il te plaît, et elle se tourne, pas bégueule, Abdel a le temps de penser que ses mamelons ont la couleur des figues mûres avant de détourner le regard de cette poitrine aux fruits ronds, de trouver un T-shirt du RC Lens, sang et or, elle peut le garder, cadeau de Saïd qui supporte Lille, trop petit en plus, et il l'aide à le passer, difficile sur la peau moite, et puis pourquoi il lui pose la question, comme une demande en mariage :

– La librairie, si on y arrive, recentrer l'activité, l'essentiel du stock sur la photo, avec une association, et que le livre soigne des gens, je t'expliquerai, si on y arrive, tu y reviendrais, comme gérante ?

Elle ne répond pas, se dresse sur la pointe des pieds

et ses lèvres ont un goût de savon-douche frelaté, elle a des yeux de chanteuse tragique et faudrait pas que cette douceur se prolonge, Abdel se sait faible de la chair, presque triste, comme dans Mallarmé, et il coupe court, Réfléchis, dis-moi, appelle-moi, je t'aime fort, même très, prends tes aises, le frigo est plein, claque la porte en partant.

Et il est dehors, dévale l'escalier, cavale vers sa Clio, bordel de Dieu, les femmes.

Sur le boulevard, Abdel se gare en face de la maison de Rosa. Dans les intervalles du trafic il la voit renverser son sac sur son seuil, fouiller, s'arracher les cheveux. L'Alfa Giulietta, rouge, est garée tout près, elle y retourne, plonge sous les sièges, se relève, la tignasse en tourmente, Aaahhh, il croit l'entendre hurler depuis l'autre côté de la chaussée, et la voilà qui retourne à sa porte, commence à fourrager dans la serrure avec une lime à ongles, tâcher de glisser une carte de crédit dans la gâche, toutes les recettes des téléfilms. Alors il traverse, presque sur la pointe des pieds, entre deux autos qui klaxonnent et il arrive derrière Rosa arc-boutée à essayer de forcer l'entrée, proche à la toucher, lui agite devant le nez le trousseau de clés et hop là, la suite il ne la voit pas, sinon que sa blessure à la pommette s'est rouverte. Rosa, surprise, s'est redressée brutalement, et les clés sont allées péter de nouveau la blessure presque cicatrisée.

– Ah putain Rosa, t'es vraiment… !

Et elle s'est déjà saisie du trousseau, est dans le vestibule, maintient le battant ouvert.

– Entre donc tu prendras bien quelque chose ?

Avec cet air de tête à claques qu'Abdel a envie de lui en

foutre deux bonnes, il a la main levée, fait le pas en avant pour être à distance exacte, c'est chaud et gluant sur sa joue, dans son cou, fait chier de saigner ainsi, il s'interrompt éponger de la manche avant de cogner parce qu'il va cogner cette... Et Rosa fait à son tour un pas, et c'est pas le baiser chamallow de Zita, elle te mord la bouche Rosa, elle t'agrippe la nuque, des yeux de tueuse, et quand elle reprend haleine, elle envoie dinguer la porte du pied, plaque Abdel dessus, l'entreprend de nouveau, le lèche, lui échancre la chemise, glisse une main dans l'entrebâillement, lui agace les tétons, elle est barbouillée de sang, Abdel est sûr qu'elle va lui planter ses crocs dans la jugulaire, un vampire du crépuscule, et il lève les bras, laisse faire puisqu'il faut succomber, le plaisir Abdel, le plaisir, décidément c'est le grand soir, ces dames le réclament, il est leur banquet, Rosa va le dévorer avant les mollesses de Zita, d'accord, qu'il soit à elle seule, ils sont tous deux sans souffle, le martèlement du cœur dans les oreilles, est-ce que dans Sade ou Bram Stoker existe une scène de cannibalisme sexuel à quoi il puisse se raccrocher, et pas le temps de l'érudition, Rosa le tire par le poignet, viens, viens, jusqu'au premier, sa chambre, il veut la prendre dans ses bras, elle le bascule sur le lit, les quelques reliures turquoise et rouge tournoient au ciel de sa vision, et puis elle au-dessus de lui, agenouillée entre ses jambes, nom de Dieu elle ouvre sa robe d'un coup, tous les boutons explosent et elle est comme il n'aurait pas cru, mince et exubérante, elle se penche, le déboucle, il sent sur son ventre ses cheveux poissés de sang et aaaaaah !

Plus tard, bien sûr qu'ils sont nus dans la débâcle du lit, bien sûr qu'ils ont dormi, qu'Abdel a saigné partout, merci les draps, qu'ils sont tous deux zébrés de sang séché, qu'Abdel se sent tout maigriot contre les opulences de Rosa qui a posé des Steri-Strips sur sa cicatrice rouverte, ses stigmates d'amour dit-elle, Attention j'ai pas dit je t'aime, lui il grimace, *horresco referens*, ferait beau qu'il supporte sa déclaration, pas de sentiments, surtout qu'elle a d'abord cherché un mouchoir dans la poche d'Abdel, trouvé les falbalas d'Yvonne, elle l'a traité de fétichiste, il lui a demandé de brûler ces vieilles amours inconnues, alors bien sûr qu'ils éventrent les vieux bagages du souvenir. Rosa retrouve sa voix de je m'en fous, même pas mal, même pas honte, comme à raconter des vacances, devant la seule photo, sous verre devant le lit, de son père en uniforme de para, manches de treillis roulées au coude, au bord d'un oued caillouteux, en vacances pour ainsi dire.

– Toujours, non, j'ai pas toujours su l'appartenance de mon père à l'OAS. Mais dès sa mort oui, quand j'ai rassemblé là-haut le fourbi de son bureau et les dossiers cachés dans le grenier. La fondation de l'OAS date de février 61. À l'époque il a terminé ses études d'avocat, est engagé volontaire et à cause de ses frères d'armes, ceux qui tueront des innocents, soutiendront le putsch des généraux, il bascule dans le soutien logistique à cette lutte clandestine pour conserver l'Algérie française. Quand ça échoue, il sait que les barbouzes français vont transmettre les noms des militants OAS au FLN. Le risque de mourir est décuplé. Alors, dès la fin de son engagement, il rentre en métropole vers décembre, facilite la désertion du lieutenant Bernard, ici à Lille, et vu la présence énorme du FLN, du MNA, entre dans l'organigramme de l'OAS pour la région, il reste foutre la zizanie et ouvre son cabinet.

Si j'ai bien compris. Il avait aussi un rôle de trésorier, de contact permanent, surtout avec un général d'origine lilloise, Van… quelque chose. La nuit bleue à Paris, en janvier 62, il en est, il va aussi gérer une partie des fonds issus des pillages de banques en Algérie, ce qu'on a appelé « le trésor de l'OAS ». M'étonnerait pas qu'il en ait mis à gauche. Se payer cette maison… Et puis c'est fini, il est dans le collimateur des flics mais il rend service à plein de harkis, aux pieds-noirs rapatriés, ça le dédouane jusqu'aux amnisties de 62, 66, 68. Et puis c'est un don Juan, il rencontre ma mère nommée au greffe du tribunal, ils sont de deux villages proches, vers Porto-Vecchio, ils se marient, ma sœur et moi on naît, mais il vit toujours sa vie de bâton de chaise, maman finit par divorcer, repart en Corse avec ma grande sœur, j'ai dix-huit ans, un an après il fait un infarct dans les bras d'une dame. Si tu veux des précisions, regarde les classeurs que j'ai apportés chez toi. Le reste je l'ai brûlé, je ne voulais pas que tu saches. Pardon. C'est vrai que c'est petit ton appart. Pas eu le temps de voir mais t'as recréé la librairie, non ? Avec même l'ancienne vendeuse…

L'allusion, Abdel néglige, pas le moment de la jalousie, il flatte une hanche, le creux des reins de Rosa, mais à peine, léger, pas le moment non plus de refaire les fous sur l'instant, il a des questions :

– Donc tu as trouvé des preuves de ses activités ? T'es devenue assistante sociale pour racheter ton papa ?

– Va te faire foutre, Abdel.

– Donc oui. Tu crois qu'il a mis son grain de sel dans la guerre des cafés, ici ? Est-ce qu'il a su si c'est bien le FLN qui a commandité l'attentat où Georges Lepage est mort ?

– Tout membre du MNA qui intégrait le FLN devait tuer son ancien chef, je l'ai lu dans ses papiers. Il tenait des sortes de listes des militants liquidés, je t'ai gardé ses coupures de journaux. Tu as tout chez toi. M'étonnerait qu'il s'en soit mêlé. Ces affaires-là, entre indépendantistes, défendre les assassins des groupes de choc, il les refusait. En revanche il a failli participer à la défense de gens comme André Canal, responsable de l'OAS métropole. Peut-être même il a décliné Degueldre, un vrai tueur, parce que la presse l'annonçait d'avance et ici, à Roubaix, il risquait gros…

– J'ai vu l'article dans la benne avant que tu n'essaies de le brûler… Ces vieilles jaquettes, elles viennent de chez Lepage, ton père était client ?

Abdel montre du doigt les volumes recouverts de turquoise traversé d'arborescences rouges, se relève à demi en attraper un, Jean Cau, *La Pitié de Dieu*, Goncourt 61.

– Maman. Papa ne lisait pas. Comme moi. Même les titres de ces bouquins je les connais pas. Ils font joli, rien d'autre. J'ai tort, n'est-ce pas ? Tu me méprises de ça. Et mon cul ne suffit pas à me racheter. C'est que je descends tous les jours dans un monde sans mémoire, immédiat, où la télé est le seul repère, alors j'ai tendance à me battre avec les armes de cet univers-là.

– Roubaix est une ville de l'Ouest américain après la ruée vers l'or. Elle a été pillée par un patronat textile patriarcal et conservateur, immobile. Certains sont devenus pauvres à la mesure de leur richesse, comme le Johann Suter de Cendrars, dans *L'Or*. Les autres sont partis depuis longtemps. Ceux qui sont restés, les petits, les immigrés, n'ont pas trouvé de filon. Et ils vivent avec des fantômes, comme Saïd. Ils habitent des maisons faites pour des mariages grandioses qui n'auront plus lieu. Comme toi.

– T'es pas en train de faire ta demande?

– Ma demande, je l'ai faite à Zita. D'être la gérante de ma librairie associative. Faire travailler des gens en détresse sur les photos d'Yvonne, avant de photographier eux-mêmes la ville, les habitants, y compris les nouveaux négriers, les bandits avec des excuses infantiles pour braver les lois, raconter, conjurer la misère par les mots, on va essayer, c'est rien, le nombre de dealers n'en diminuera pas, le chômage non plus ni les femmes battues, ni les replis communautaires, les cadres supérieurs continueront à faire du cheval et du golf sans jamais lire une ligne ou aller au concert, au théâtre, sans transmettre le patrimoine culturel, c'est pas gagné, je vais sûrement me mettre sur la paille mais peut-être un gamin, une petite demoiselle sourira à ses parents, ils se parleront, ils relèveront la tête, et puis mon père était chimiste dans une teinturerie, ma mère avait la guerre encore à fleur de peau, les guerres ne finissent jamais, leur souvenir est encore un combat, et ils m'ont admiré de vouloir devenir l'être le plus méprisable dans notre société, un prof de lettres. Faut pas que je les déçoive. Je suis pas un cadeau, Rosa.

Ils sont sur le dos, les yeux au plafond, la peau balafrée de sang séché. Rosa a sa voix lointaine :

– Effectivement. Je sens que je vais te payer très cher.

IX

La terre, aux jours qui suivent, on dirait qu'elle n'a plus la force de tourner le dos au soleil, qu'elle reste à regarder midi et sa fournaise. M. Zerouane a garé un utilitaire antédiluvien devant la librairie, warning allumé dans la pénombre moite de la rue où roulent des échos de moteurs. La vente de l'appartement semble sur le point d'être conclue, semble parce que le financement n'est pas si sûr, pas des sommes mais de quoi assainir, régler les droits de succession. Maître Liévin a laissé un message à Abdel. À trois, avec Saïd qui est venu en scooter, combinaison orange au logo de son ancien employeur, sa petite échelle de laveur de vitres, ses raclettes télescopiques, fixées droit sur le porte-bagages derrière le récipient étanche de liquide nettoyant, à trois, en nage de grimper-dévaler les escaliers, ils enfournent les ballots de vêtements et les dossiers à remiser chez Rosa, elle les attend, pouvez pas savoir ce qu'il est content Abdel de ne rien rapatrier chez lui. La place qu'il a libérée l'autre soir où il a déporté des livres, il va la combler avec d'autres ! Saïd se régale d'avance de tout briquer à cœur, surtout de rendre la vitrine transparente. Zita devrait passer donner un coup de main, installer un site définitif, des logiciels de vente en ligne sur l'ordi, Abdel trouille qu'elle refuse son offre de gérance. Et craint la jalousie de Rosa si elle l'accepte. On verra bien.

Au matin de leur nuit de sueur et de sang, pas de larmes toutefois, *sorry mister Churchill*, ils sont allés parcourir ensemble les classeurs laissés à l'appartement d'Abdel. Ils les ont trouvés tels quels, dézingués, les chemises de couleur à dégueuler leur contenu au parquet, un post-it de Zita collé sur l'une, elle réserve sa réponse de libraire pour la gérance mais sa réponse de femme est oui, oui, oui. Qu'Abdel lui signale le jour où il finit de débarrasser, elle viendra faire un peu d'informatique. Rosa a lu en premier, tendu le petit mot à Abdel, pas la peine de le gifler, elle ne porte pas sa bague à exploser les pommettes. Et rire sarcastique là-dessus.

Ensuite elle a ramassé la jonchée de documents et commenté son maigre glanage à Abdel. Surtout des coupures de presse concernant l'OAS, la manifestation de la rue d'Isly à Alger, qui fait cinquante-deux morts, en mars 62. Certaines notes, des papiers imprudents permettaient de relier activement Alfieri à la nuit bleue de janvier 62 et à la préparation d'un attentat contre de Gaulle à Vesoul, indiquaient une proximité avec un général Verdun et un capitaine Arthur, des huiles lilloises de l'OAS métropole.

Cette partie inavouable des archives, Rosa l'a incinérée. Restent les articles de la *Voix du Nord*, de *Nord Éclair*, *Nord Matin*, avec la relation des exécutions sommaires de membres du FLN par des militants MNA, et réciproquement, dans la région, mitraillage du siège de l'Union des syndicats des travailleurs algériens, rue Monge à Roubaix, la même où Georges est mort, assassinat d'un gradé de la police à Ostricourt... Plus des organigrammes incomplets des membres de groupes de choc de la wilaya 4, celle du Nord.

Les commentaires au crayon dans les marges jaunies marquent le plaisir ironique de voir les organisations indépendantes s'entretuer jusque sur les marchés lillois, surtout après le refus de Messali Hadj de participer à la conférence d'Évian. Restent des listes des adhérents aux cellules des deux organisations, avec mention des collecteurs de l'impôt révolutionnaire, des possesseurs d'armes, de voitures trop chères pour leur salaire de tisserand, de mineur, et qui servent aux raids sanglants. Une de ces listes donne l'identité des cotisants d'une daïra, une sous-section MNA de Roubaix. Elle est tapée à la machine et comporte, outre le nom de Rachid Mekloufi que Saïd a eu l'autre jour tant d'émotion à reconnaître sur un cliché d'Yvonne, celui de Georges Lepage, collecteur d'impôt justement. Les deux noms sont suivis de plusieurs points d'interrogation, comme ceux de Mustapha Zitouni, de Ben Tifour... Derrière certains autres, des parenthèses avec les fonctions clandestines ou les faits d'armes. Le trouble de Saïd s'explique maintenant : il connaissait l'engagement de Georges aux côtés de ce Mekloufi dans la lutte pour l'Algérie indépendante, comme celle de beaucoup d'intellectuels métropolitains, de communistes, plutôt pro-FLN pourtant... Est-ce que Julie, Yvonne, étaient au courant ? Rosa et Abdel ont décidé que peu importait, amnistie universelle, on n'en parlerait même pas à Saïd. Quant à la face d'ombre de Pascal Alfieri, le sang qu'il avait peut-être sur les mains, est-ce qu'Abdel pourrait accepter que Rosa ait pardonné à son père ? Abdel n'a pas répondu. Peut-être la hâte des baisers a-t-elle influé sur sa clémence.

Là, ils ont fini de charger la camionnette. Zerouane donne des coups de téléphone depuis le trottoir. Après il voudrait parler en particulier à Abdel. Juste deux mots… D'accord, d'accord. Pourvu que la vente de l'appartement tienne ! Saïd a les reins posés contre les romans noirs, face à la caisse, il récupère, repose sa patte folle comme un vieux héron et regarde la photo où il brandit les *Essais* et sa page d'écriture aux côtés de Georges en blouse grise. De sa voix de demoiselle polie il demande s'il pourra l'avoir. Bien sûr, qu'il la prenne. Pas tout de suite, il doit d'abord aller chercher un autre produit détergent chez lui, spécial pour les sols vitrifiés. Il laisse Abdel et Zerouane aller livrer les vêtements à l'atelier de couture et les archives de la librairie chez Rosa, et il ne peut pas s'empêcher de glisser tout bas un avertissement contre ce harki, attention qu'il donne vraiment les sous pour l'appartement. Abdel le rassure d'une tape sur l'épaule, Te fatigue pas trop à nettoyer Saïd, les jours qui viennent on s'attaquera aux livres, on bazarde le stock au mieux par Internet pour avoir des liquidités et on réorganise, photo, cinéma et coups de cœur romans et essais, le moins possible de concessions à la médiocrité littéraire, juste de quoi garder une trésorerie saine, bordel de Dieu, et les ateliers avec l'association « Relier », l'affaire est bien engagée, ça galvanise. Pas sûr que Saïd comprenne le monologue, il sourit, se redresse, passe le seuil, revient, attrape son porte-documents, cette manie qu'il a de le trimballer partout, de l'oublier parfois, allez, en avant, Zita entre à cet instant.

Bisous en série, d'abord à Saïd qui s'en va, M. Zerouane qui s'impatiente, hausse les sourcils, son torse massif souffle des soupirs d'ogre, il voudrait dire un mot à Abdel, juste un, mais bisou de Zita, Bonjour Abdel avec un chuchotis à l'oreille, faut qu'elle lui parle en privé. Décidément… Là elle va descendre l'ordi d'Yvonne près de la caisse et y installer les logiciels de vente. Faut commencer à vider la réserve dès maintenant. D'accord. Dehors la Vespa de Saïd bourdonne profond, le son devient plus strident quand il se met en route, résonne à envahir la librairie où on se tait, lèvres retroussées, yeux plissés, un instant et on pourra parler de nouveau… Au lieu de quoi, Abdel comprend à la direction du son que Saïd remonte la rue en sens interdit, vers la Grand-Place et il entend le coup de frein, le choc sur de la tôle juste avant qu'ils soient déjà dehors tous les trois. Saïd est en train de se relever, de tâcher de remettre sa Vespa sur roues, le con il n'avait pas son casque. Tout son fourniment, l'échelle, les raclettes, est répandu sur la chaussée. Saïd veut tout remettre en ordre en même temps, pendant qu'un jeune type descend de son Audi stoppée un peu en travers, examine son capot, merde, merde !

La suite dure une minute, dix, la demi-heure, personne ne saura jamais. Mais très vite ce n'est plus l'accident qui occupe les esprits. L'automobiliste a laissé ses coordonnées, pris celles d'Abdel, Saïd a été embarqué par une ambulance de passage, direction l'hôpital tout proche, en haut du boulevard De Gaulle, pardon, « de Paris », il semble indemne, juste choqué, aussi perdu de repères qu'à la mort de Georges rue Monge, à peine une coupure au front que Zita tamponne d'un mouchoir, Comme toi Abdel, la même que sur ta joue, On est pareils Abdel, pas l'ambulance, je suis pas mort, pas mort, D'accord Saïd, mais une hémorragie interne est toujours possible, rassure-toi, on passe te voir, te chercher, les médecins vont t'examiner, par précaution.

On a dégagé la route, la Vespa à la fourche faussée, les outils, tout remisé dans la resserre de la librairie. Rosa est avertie qu'on sera un peu en retard. On a aussi ramassé le contenu du porte-documents éventré par le choc entre l'auto et le ventre de Saïd. Possible que ce foutu cartable lui ait sauvé la vie. En tout cas, Abdel entasse les feuillets, les cahiers, pour les renfourner dedans, voilà bien les listes de Saïd, ses collections de mots, avec leur sens commun, et les colonnes de noms, de toutes origines, portugais, italiens, marocains, tunisiens, polonais, flamands et français de plus longue date, mêlés, Zerouane repère le sien parmi les traîtres, et puis une page quadrillée à part, arrachée à un cahier à spirale.

Immédiatement, Abdel reconnaît l'en-tête, wilaya 4, groupe de choc, les mêmes noms que sur la liste dactylographiée d'Alfieri, écrits de la belle écriture scolaire de Saïd mais sans les curriculum entre parenthèses. Deux noms ont été ajoutés à la main : ceux de Georges Lepage et celui de Saïd Mahdami. Indiscutablement cette écriture filée, tout juste hérissée par les *h*, les *q*, sans barre aux *t*, est celle d'Yvonne, ses griffonnis ! Qu'est-ce que ça veut dire ? Comme Zita juchée sur le tabouret de la caisse, Zerouane penche la tête, lit de côté, pointe du doigt les noms suivis d'un point d'interrogation sur la liste d'Alfieri.

– Makloufi, Ben Tiffour, Zitouni, c'est des footballeurs algériens qui désertent la France et forment une équipe nationale algérienne exilée en Tunisie. Entre 58 et 62 ils ne joueront jamais sur le sol algérien ! Leurs noms sont indissociables de la mémoire de l'indépendance, même pour moi… Et ils ne seront jamais dans la lutte armée, surtout pas ici dans le Nord. Mais je reconnais aucun nom de harki, et lui, ce Mounir, il est du FLN, Saïd mélange tout…

Abdel, les bras lui en tombent de ce micmac, Saïd lent à entrer dans la marche du monde, ses conversations avec les morts de tous bords, il veut bien admettre, mais là on touche au cœur du conflit, est-ce qu'il aurait raison de croire que Saïd simule depuis toujours, que son rôle a été autrefois plus déterminant qu'il n'y paraît et qu'il se cache derrière une comédie de handicap ?

– Possible. Mais pourquoi Yvonne ajoute le nom de son père et celui de Saïd ? Ils militaient ? Voilà ce que je propose : on livre les vêtements à ton atelier couture, ensuite les dossiers à Rosa et on file à l'hôpital voir comment se porte Saïd. Qu'il nous explique s'il peut… On ne va pas le brusquer… C'est pas grave. Zita, si tu lèves le bras tu peux décrocher le cadre avec la photo, qu'on lui apporte, ça lui fera plaisir…

Zita se dresse sur la barre du tabouret, vacille, bras en l'air, le cadre ne veut pas quitter le clou, Abdel voit son ventre nu entre jean et débardeur, sûrement à cause de toute cette peau de jolie fille il hésite à la soutenir, Zita tire d'un coup, la ficelle casse, le cadre échappe, explose au parquet et une autre photo, cachée derrière celle de Georges et Saïd, a glissé parmi les débris de verre. Un cliché d'Yvonne jeune dans les bras d'un homme. Abdel reconnaît sur-le-champ Pascal Alfieri, une banquette de l'*Hôtel de France*, aujourd'hui fermé, le paradis jamais atteint par Saïd. Et Zerouane n'a plus de doute sur l'identité de celui qu'il a vu autrefois cueillir Yvonne dans ses bras.

Peut-être est-ce le moment d'examiner de plus près l'engrenage des événements et les cruelles ironies du sort. Comment Abdel Duponchelle, ce dandy de banlieue ouvrière, cet échalas incongru d'érudition, la poussière de la librairie ensuée à sa peau, va tâcher d'empêcher les stigmates de cette guerre si éloignée déjà et jamais terminée pourtant de se rouvrir comme la coupure de sa joue. « Stigmates », un mot de collection pour Saïd, mais Abdel a autre chose en tête, à l'instant.

D'abord on boucle la boutique, on embarque à trois dans la camionnette, pas un mot. Quand même Abdel remonte en silence le cours des destinées. Yvonne était donc la petite amie de Pascal Alfieri dans des amours éphémères, puisque ni l'un ni l'autre ne les ont jamais plus évoquées à des proches. Ou amours coupables, interdites soudain, dont l'unique photo dissimulée dit assez l'importance du souvenir ou du regret. Des romans qui racontent ces liaisons étouffées par les convenances de classe sociale, l'argent et les préjugés de tous ordres, qui font scandale et mènent à la perte, des histoires de tragique amoureux, Abdel pourrait en citer des pages, ne serait-ce que celle de Julien Sorel, même cette bécasse de Bovary, et justement, Yvonne de Galais avec Meaulnes, ah merde, Yvonne entichée d'un terroriste peut-être repenti au point de s'équiper en dessous coquins et de conserver cette panoplie comme un morceau de la vraie croix après rupture du don Juan, qui eût cru ? La voilà bien, l'explication des dentelles inavouables de la nonne des librairies ! Il raisonne à en pousser des soupirs de fiancé largué et Zerouane, son torse d'hercule calé au volant, attend des explications qui n'arrivent pas. Zita, assise entre les deux hommes, sourit aux lointains du pare-brise, allons l'amour est plus fort que la mort, et se traite d'imbécile de croire à ces âneries d'ado.

Ils livrent ainsi Madame Irma, une Gantoise au prénom d'extralucide qui baragouine un sabir à base de flamand et dirige un atelier d'insertion par la couture où on parle au moins quinze langues, plus celle de la machine à coudre, universelle, et de l'élégance par la débrouille. Puis ils déposent les dossiers de la librairie chez Rosa qui les laisse s'exténuer, tellement éberluée de la formidable découverte qu'elle bisoute Zita au passage, oublie d'être jalouse, de lui arracher les yeux, elle les suit jusqu'aux combles, sans jamais porter une caisse, un carton, descend avec eux trois, Ça alors, ah ben ça, mon père et Yvonne, elle le répète et repousse distraitement Abdel qui veut l'enlacer pour, pour, il ne sait pas pourquoi, pour adoucir le choc, au cas où la nouvelle de la liaison cachée de son père serait douloureuse. Il renonce, bon, On en parle après si tu veux, et ils repartent en silence. Zita, à genoux à même la tôle derrière les sièges et cramponnée, se penche alors qu'on stoppe à un feu.

– J'ai décidé d'accepter la gérance de ta librairie. Veux plus travailler à la mine.

Abdel se tourne à demi, Très bien, merci Zita, puis sans regarder Zerouane :

– Ne le prenez pas mal, Monsieur Zerouane, mais je crois que je ne vends plus. Votre association disposera des étages de la librairie pour l'euro symbolique. Je vais solliciter un emprunt hypothécaire sur mon appartement et le louer.

Zerouane passe la première, fait Mmm, tant que « Relier » peut exister… Et Rosa déduit, sa voix d'évidence :

– Si je comprends, tu viens de commencer à emménager chez moi. Parce que je suis assistante sociale, je ne peux pas te laisser à la rue ?

Abdel a juste une inclinaison de tête, l'œil rigolard, Hé, tu as tout saisi !

À l'hôpital, ils entrent ensemble dans le box des urgences où Saïd attend d'être examiné plus avant, radiographies et tout l'arsenal, comme les quatre de l'Apocalypse descendus de cheval et terribles d'en être de simples humains. Saïd, assis sur le lit, porte encore sa combinaison orange et il a un jappement de chiot effrayé quand Abdel pose la liste manuscrite et la photo sur ses genoux, commence de parler bas, recto tono, à pétrifier :

– Maintenant, tu vas nous livrer les secrets de famille, pourquoi ces reliques, tiens « reliques » je te l'écrirai dans ton cahier, ou bien puisque tu parles aux morts, tu vas demander à Georges et à Yvonne de nous expliquer. On t'écoute. Si tu mens on ne te parle plus jamais, on t'interdit la librairie, n'est-ce pas Monsieur Zerouane ? Zita ? Rosa ?

Ils ont fait oui, tous les trois, et Saïd est un enfant aux larmes résignées, prêt à laisser couler son petit conte, se soulager du poids du silence, et trop incapable de mesurer l'inhumanité des hommes pour sentir celle, toute simple, de son rôle : aller aux origines du malheur.

– À Monsieur Georges, Madame Julie et Yvonne, je parle qu'au cimetière, avec les autres des tombes, ils y habitent… Ici je peux pas, Monsieur Abdel, ils m'entendent pas… Ceux de mes listes non plus…

– Alors toi, raconte, pourquoi Yvonne a rajouté ton nom et celui de Monsieur Georges sur une liste de cotisations du MNA où figurent des joueurs de foot! Et pourquoi M. Alfieri, le chéri de Madame Yvonne, tu le savais ça, tu l'as jamais dit, pourquoi, pourquoi Pascal Alfieri avait cette liste dans ses archives, elle a servi à quoi?

– C'est pas une liste de cotisations, c'est des noms de héros de la liberté, Madame Yvonne l'a dit. Ils buvaient le café avec moi, rue Monge, et ils disaient la liberté du peuple algérien, les sacrifices à faire pour un pays libre, je les connaissais et les footballeurs ils ont fait une équipe libre, je les ai mis sur ma liste, et j'ai montré à Madame Yvonne. Alors elle a rajouté mon nom et celui de Monsieur Georges… Moi, un héros de la liberté? Non, elle se moquait de moi. Pas bien. J'ai recopié la liste sans mon nom. Et j'ai montré à Madame Yvonne. Elle a dit, Bon, t'es un héros des livres, Saïd, les livres c'est aussi la liberté; et de la montrer à personne, de la déchirer, cette liste. La déchirer, moi je voulais pas. J'ai voulu la donner à Monsieur Pascal, je sais bien que c'est votre papa Madame Rosa, je voulais pas en parler, moi je savais qu'ils étaient amoureux ensemble, je les voyais à l'*Hôtel de France*, mais Monsieur Georges il les voulait pas ensemble, il criait sur Madame Yvonne qu'elle aimait un assassin, il allait le dénoncer à la police, Madame Julie pleurait, et Monsieur Pascal, c'était pas un assassin, il a dit qu'il allait la taper bien à la machine ma liste, que je pourrais en être fier même sans mon nom, la montrer à tout le monde. Il m'a donné une copie, c'était écrit que Monsieur Georges ramassait les sous pour le MLA, non pas MLA, MNA, et les autres, devant leur nom il y avait ce qu'ils avaient fait de beau… Cette liste à la machine je la lisais tout le temps, je l'ai montrée à pas beaucoup, seulement dans les cafés à des copains qui aimaient le foot, et puis je l'ai perdue, oubliée sur une table, je l'ai plus retrouvée, tant pis j'avais la mienne, avec les deux noms rajoutés par Madame Yvonne. Et puis il y a eu le tabac rue Monge, la mort de Monsieur Georges et jamais plus j'ai vu Monsieur Pascal et Madame Yvonne ensemble… J'ai pas fait exprès, pas exprès.

Et ses yeux débordent. Rosa a compris le sordide de l'action de son père qui a manipulé un innocent, ils ont tous compris excepté Saïd, ou alors il est pire qu'Abdel ne soupçonne. Non, Saïd n'est que le hasard incarné, le nœud fatal au fil des Parques, il n'a décidé de rien.

– C'est pas grave, Saïd… Votre liste, mon père l'a gardée, il a effectivement écrit les bonnes actions à côté des noms… On va vous la rendre, n'est-ce pas Abdel ?

Et Abdel fait oui de la tête. Tous les quatre savent qu'Alfieri a communiqué de cette façon détournée la liste aux organisations indépendantistes et, il le savait, il l'espérait, dans le contexte sanglant, le premier à être exécuté de ces condamnés serait Georges Lepage, dénoncé comme membre influent du MNA, en réalité totalement étranger à la lutte armée pour l'Algérie libre mais homme de partage et père hostile à l'OAS. Au matin de leur nuit, Abdel a vérifié les autres livres à jaquette turquoise et rouge, dans la chambre de Rosa : la plupart ont un achevé d'imprimer entre septembre 61 et mars 63. Curieux. La mère de Rosa n'était pas dans le circuit à cette époque. Donc Alfieri fréquentait bien la librairie, lui seul. Ce matin d'amour, Abdel n'en a rien conclu.

ÉPILOGUE

Pas longtemps après la rentrée des classes. Un samedi.

Rosa ouvre des cartons, garnit les rayonnages neufs d'albums de photographes et de romans plus ou moins en rapport avec la photo. Une réédition de *Mortelle randonnée*, où une photo de classe tient un rôle essentiel, les aventures de Boro reporter-photographe, par Franck et Vautrin... Travaux de rénovation de l'espace librairie finis presque à la minute, la vitrine transformée en micro-galerie, prolongée par la caisse surélevée et l'ordinateur où Zita continue d'écouler le stock en e-commerce, ce qui a déjà permis d'ouvrir le mur du fond et de gagner sur la resserre. À l'étage dont les pièces ont été rafraîchies, où un mobilier de bureau du seconde main a été installé, Saïd, le cœur en foufelle plus que jamais, costume des dimanches et chemise blanche boutonnée au col, est assis à une grande table, des piles de photos devant lui, toutes de Madame Yvonne. Sa jambe le tracasse, faut dire qu'avec les pluies incessantes, mais il tiendra, au nom de l'association «Relier», dont une affiche est punaisée entre les deux fenêtres brouillées d'eau. Depuis la mi-juillet, sur son scooter réparé, il est souvent allé au cimetière, a demandé pardon aux morts, à Georges à Julie, il a posé les paumes sur la pierre où les cendres d'Yvonne se sont envolées sans laisser de traces. À sa première visite il a laissé son porte-documents au chevet du tombeau. La fois d'après, plus rien. C'est que les morts l'avaient pris. Donc ils avaient lu ses listes et ses collections de mots. Et Yvonne, pas possible de rien lui cacher. Il leur laissait le tout, cadeau. Il n'a gardé que la liste tapée par Alfieri. Mais est-ce qu'ils lui pardonnaient ? Pas de réponse. Il a compris qu'il devait se racheter avant que les disparus lui adressent de nouveau la parole.

Ainsi quand Monsieur Zerouane, un harki mais pas un traître, et Abdel entrent avec une dame, une blonde grasse pas bien à l'aise, boudinée dans un blouson de jean trempé, le cheveu pareil, l'œil méfiant, avec une demoiselle, quinze ans, seize, corpulence pareil, habillée pareil, jupe mauvais goût, coiffée chien mouillé et maquillée vieux, il se lève qu'on lui présente Christelle et Diana, mère et fille. Ces deux-là qui ne s'aiment plus, il faudrait les rabibocher. Il leur serre la main, pas bien vaillant, les fait s'asseoir. Tout à l'heure Rosa, en bonne assistante sociale, viendra examiner leurs problèmes matériels.

Zerouane explique, Diana est en seconde, sèche les cours, fugue sans cesse, Christelle ne va même plus la chercher au commissariat, on va tâcher de raccommoder leur relation, en douceur, faut juste se laisser aller, parler. Là, Diana va choisir une photo et raconter l'histoire de ce qu'elle voit. Et puis Christelle répondra. Ensuite Saïd dira la vraie histoire de la photo. La dame qui l'a faite la lui a racontée. Et on prêtera un appareil à Diana, qu'elle aille faire d'autres clichés où elle veut, et revienne raconter autre chose. La mère a déjà un rictus, conneries, elle y croit pas à ces micmacs. L'affaire est simple : la gamine veut des sous qu'elle peut pas lui donner, elle pointe au chômage, la misère vous connaissez, c'est pas dans les livres, et les photos mangent pas trois fois par jour, elle a pas de sous alors sa fille elle en cherche ailleurs, et puis l'école, hein, les diplômes... Abdel lui fait signe de se taire, Diana a éparpillé le tas de clichés, en a extrait un, celui qui montre la fille assise sur les marches de l'immeuble après un accident d'auto, elle a commencé de parler, juste pour Saïd :

– Nous, c'était une vieille Renault. L'an dernier...

Zerouane touche le bras d'Abdel et ils les laissent. Mais dans l'escalier Abdel s'arrête, s'assied en silence dans le mélange des bruits qui montent de la librairie et la voix de Diana. La fille de l'accident c'est elle, propre, parfumée, habillée super, sa mère l'avait obligée même à porter sa lingerie à elle, et elle allait lui présenter un ami... Abdel se lève, est-ce qu'il comprend bien, Diana dit très posément que Christelle la prostituait à domicile, l'emmenait chez le client pédophile, et que cet accident l'avait rendue furieuse : sans voiture le terrain de chasse rapetissait. Christelle avait rendu sa fille responsable : elle ne voulait plus, il y avait eu exprès engueulade dans l'auto pour l'énerver au volant et boum. C'était en août. Depuis Christelle avait mis sa fille à la porte. Rosa s'est saisie du dossier à la rentrée, l'a transmis à Zerouane.

Abdel écoute. Il croyait avoir repris une librairie, vendre des livres, fournir les clés de l'univers, éclairer, offrir des contrepoisons aux destins, et le voilà devant des abandonnés à douter de l'homme. Merde, il ne va pas tenir, il a été cinglé, pour qui il s'est pris, couillon de Don Quichotte !... Là-haut ça rouscaille, Non mais je vais t'en donner moi de la prostituée, je t'ai jamais forcée,

Maman tais-toi, Tais-toi toi-même, qui c'est la pute ici, moi peut-être ? Puis il entend la voix de Saïd, son timbre voilé, il entend le tremblé de son phrasé, sa frousse des étrangers, des femmes, et son courage pour interrompre la sale dispute, prendre la parole, enfin parler aux vivants :

– La vraie histoire de la dame, je la connais pas. Et je veux plus mentir. Je connais seulement que la vôtre, parce que maintenant c'est aussi la mienne et celle de tout le monde… J'avais une amie qui aimait un monsieur…

Abdel n'écoute plus. Sur la table, avec les photos il a vu la copie de la liste tapée par Alfieri et la main de Saïd posée dessus, comme sur un texte sacré, bien à plat, immobile. Il descend vers les yeux de Rosa, ouverts grands dans la lumière grise, qui l'attendent. Bien sûr il va falloir continuer à vivre à contre-jour, regarder les fantômes en face. Mais ensemble.

Michel Quint est né le 17 novembre 1949 à Leforest dans le Nord-Pas-de-Calais.

Parallèlement à sa carrière de professeur, il écrit pour le théâtre, avant de se lancer dans le roman noir. En 1989, il obtient le Grand Prix de littérature policière pour *Billard à l'étage* paru aux Éditions Calmann-Lévy et décide alors de se consacrer pleinement à l'écriture.

En 2000, il rencontre le succès avec *Effroyables jardins*, qui fut tour à tour récompensé par le prix Ciné-Roman et le prix de la Nouvelle de la Société des gens de lettres, porté à l'écran par Jean Becker et adapté au théâtre. Véritable best-seller, il a été traduit en vingt-cinq langues et vendu à plus d'un million d'exemplaires en France.

Il est l'auteur d'une quarantaine d'ouvrages dont *L'espoir d'aimer en chemin*, *Max*, *Avec des mains cruelles* et *Fox-trot*.

DU MÊME AUTEUR

Mauvaise conscience, Fleuve noir, 1984.
La Dernière Récré, Fleuve noir, 1984.
Le Testament inavouable, Fleuve noir, 1984.
À l'encre rouge, Fleuve noir, 1985 ; Rivages, 2002.
Hôtel des deux roses, Fleuve noir, 1986.
Bella ciao, Fleuve noir, 1987.
Mascarades, Fleuve noir, 1987.
Posthume, Fleuve noir, 1987.
Cadavres au petit matin, Syros jeunesse, coll. « Souris noire », 1989.
Jadis, Fleuve noir, 1989.
Billard à l'étage, Calmann-Lévy, 1989, 2001 ; Rivages, 1993.
Sanctus, Terrain vague, 1990.
Cake walk, Joëlle Losfeld, 1993, 2001.
Le Bélier noir, Rivages/noir, 1994, 1997.
La Belle Ombre, Rivages, 1995.
Lundi perdu, Joëlle Losfeld, 1997, 2004.
L'Éternité sans faute, Rivages, 2000.
Effroyables jardins, Joëlle Losfeld, 2000 ; Folio, 2004.
Les Grands Ducs, Calmann-Lévy, 2001.
Aimer à peine, Joëlle Losfeld, 2002.
La Dédicace, Le Verger, 2004.
Et mon mal est délicieux, Joëlle Losfeld, 2004 ; Folio, 2005.
Sur les trois heures après le dîner, Belem, 2004 ; Gallimard jeunesse, 2009.
L'Espoir d'aimer en chemin, 2006 ; Folio, 2015.
Corps de ballet, Estuaires, 2006.

Les Couleurs du Nord-Pas-de-Calais, North End Blues, Du Quesne, 2007.
Sur les pas de Jacques Brel, Presses de la Renaissance, 2008.
Une ombre, sans doute, Joëlle Losfeld, 2008 ; Folio, 2009.
Max, Perrin, 2008 ; Pocket, 2010.
Les Joyeuses, Stock, 2009 ; Folio, 2010.
Avec des mains cruelles, Joëlle Losfeld, 2010 ; Folio, 2012.
La Folie Verdier, Éditions du Moteur, 2011.
Les Amants de Francfort, Héloïse d'Ormesson, 2011 ; Pocket, 2015.
Close-up, La Branche, 2011 ; Pocket, 2015.
Ma révérence, La Fontaine, 2011.
Mademoiselle Liberté, Invenit, 2012.
Le Comédien malgré lui, Flammarion, 2012.
En dépit des étoiles, Héloïse d'Ormesson, 2013 ; Pocket, 2014.
Veuve noire, L'Archipel, 2013 ; Archipoche, 2014.
J'existe à peine, Héloïse d'Ormesson, 2014.
Fox-trot, Héloïse d'Ormesson, 2015.

Cet ouvrage
a été mis en pages par In Folio,
reproduit et achevé d'imprimer
en mars 2016
dans les ateliers de Normandie Roto Impression s. a. s.
61250 Lonrai
N° d'imprimeur : 1505159

Imprimé en France

Dépôt légal : avril 2016